La Princesse
de Montpensier

MME DE LAFAYETTE

La Princesse
de Montpensier

●

PRÉSENTATION

NOTES

CHRONOLOGIE

BIBLIOGRAPHIE

par Camille Esmein-Sarrazin

DOSSIER

par Camille Esmein-Sarrazin
et Jean-Damien Mazaré

GF Flammarion

© Flammarion, Paris, 2017.
ISBN : 978-2-0814-1256-9

Présentation

ANONYMAT, ATTRIBUTION ET COLLABORATION

Hypéride a la taille agréable, et beaucoup d'agréments dans le visage, surtout lorsqu'elle se peut empêcher de rougir. Jamais on n'eut plus d'esprit, et plus de discernement qu'elle en a. Elle sait non seulement tout ce que les femmes d'esprit doivent savoir, mais encore tout ce qui peut faire passer les hommes pour galants et habiles. Outre sa langue où elle se fait admirer, elle en sait cinq ou six autres, et a lu tout ce qu'il y a de beaux Livres en toutes ces langues. Elle écrit parfaitement bien, et n'a nul empressement de montrer ses Ouvrages [1].

Dans *L'Amour échappé*, peinture des gloires parisiennes publiée en 1669 par Donneau de Visé, Mme de Lafayette tient le second rang derrière la romancière Madeleine de Scudéry, sous le nom d'Hypéride. Celle que les frères de Villers, deux voyageurs hollandais en séjour à Paris, ont présentée dans leur journal comme « une des précieuses du plus haut rang et de la plus grande volée [2] », est alors un véritable personnage public. La jeune femme, née Marie-Madeleine Pioche de La Vergne en 1634, mariée en 1655 au comte de Lafayette, de haute noblesse

---

1. J. Donneau de Visé, *L'Amour échappé*, Paris, 1669, t. III, p. 6-7.
2. Ph. de Villers, *Journal d'un voyage à Paris en 1657-1658*, B. Duprat, 1862, p. 372.

d'Auvergne, s'installe à Paris à partir de 1659, où elle restera jusqu'à sa mort, en 1693. C'est d'abord le portrait de Mme de Sévigné, qu'elle compose pour le recueil de *Divers portraits* constitué par Anne-Marie-Louise d'Orléans en 1659, qui la fait connaître. Puis *La Princesse de Montpensier*, premier récit de Mme de Lafayette, présentant de nombreuses similitudes avec *La Princesse de Clèves*, paraît en 1662. Cette œuvre introduit un profond renouvellement de l'écriture romanesque en mêlant histoire et galanterie. Le récit est lu dans le salon de l'hôtel de Liancourt, où Roger du Plessis, duc de Liancourt, et sa femme, Jeanne de Schomberg, ont rassemblé un cercle extrêmement cultivé, alliant érudition et distinction. Celui-ci commente la nouvelle en ces termes : « Il n'y a rien de mieux écrit. Il y a seulement trop d'esprit [1]. » La première œuvre de la comtesse est d'emblée remarquée et applaudie.

Femme de lettres, « bel esprit » selon les termes de ses correspondants, elle est proche de nombreuses figures de la République des lettres : elle est initiée au latin et à l'italien par le grammairien Gilles Ménage, conseillée et corrigée par les érudits Jean-Regnault de Segrais et Pierre-Daniel Huet. C'est d'ailleurs sous le nom de Segrais que paraît *Zayde*, un roman qu'on attribue aujourd'hui, avec certitude, à Mme de Lafayette. La proximité de cette dernière avec le moraliste François de La Rochefoucauld fait dire à leur propos : « M. de La Rochefoucauld et Mme de Lafayette ont fait un roman des galanteries de la cour d'Henri second, qu'on dit être admirablement bien écrit ; ils ne sont pas en âge de faire autre chose ensemble [2]. » En raison de la proximité de la romancière avec différents hommes de lettres

---

1. *Recueil de choses diverses*, BNF mss, NAF 4333, f° 265 r°.

2. Lettre de Mme de Scudéry à Bussy-Rabutin du 8 décembre 1677, dans R. de Bussy-Rabutin, *Correspondance*, éd. L. Lalanne, 1858-1859, t. III, p. 431-432. Le roman dont il est question est *La Princesse de Clèves*.

et de la publication anonyme, posthume ou sous un prête-nom de ses œuvres, un débat a pu s'engager sur le statut d'auteur de Mme de Lafayette. La correspondance de celle-ci, d'une part, la critique interne des œuvres, d'autre part, permettent de lui attribuer sans hésitation quatre récits : *La Princesse de Montpensier* (1662), *Zayde* (1669-1671), *La Princesse de Clèves* (1678) et *La Comtesse de Tende* (publiée de façon posthume en 1723), ainsi qu'un volume de mémoires, l'*Histoire d'Henriette d'Angleterre* (publiée de façon posthume en 1718). Mais il est probable qu'elle fut conseillée, relue et corrigée par ses proches, notamment pour *La Princesse de Montpensier* et *La Comtesse de Tende*, récits dont on connaît plusieurs versions manuscrites antérieures à l'édition originale : entre la première et la deuxième version, une relecture fut assurée, très probablement, par Gilles Ménage.

La Princesse de Montpensier paraît sans nom d'auteur en août 1662. Plusieurs lettres de Mme de Lafayette permettent, cependant, de lui attribuer ce récit sans hésitation et font état du travail de relecture et de correction effectué par Ménage. L'anonymat n'est vraisemblablement pas le signe d'un désaveu de l'œuvre par son auteur, mais tient au fait qu'une grande dame, aristocrate de surcroît, ne peut passer pour un écrivain de profession. En effet, la comtesse manifeste à la fois le désir de voir son œuvre publiée et le soulagement que son nom n'y soit pas associé : « J'ai bien envie de vous voir et bien envie de voir mes œuvres sortant de la presse », « Elle [c'est-à-dire *La Princesse de Montpensier*] court le monde mais par bonheur ce n'est pas sous mon nom [1] ».

---

1. Mme de Lafayette, lettres à Ménage, 62-7 et 62-6, 1662, dans *Œuvres complètes*, éd. C. Esmein-Sarrazin, Gallimard, « Bibliothèque de la Pléiade », 2014, p. 931 et 930.

Mme de Lafayette et le renouvellement de l'art du récit

Lorsque paraît *La Princesse de Montpensier*, l'œuvre frappe les contemporains en raison des libertés prises par son auteur : liberté du ton, de la forme, du rapport à l'histoire. Grande lectrice de romans, Mme de Lafayette connaît les œuvres à succès de la première partie du siècle, en particulier *Clélie*, de Madeleine de Scudéry. La forme qu'elle introduit avec *La Princesse de Montpensier*, et qui préfigure le modèle de *La Princesse de Clèves*, va néanmoins contribuer à la disparition des grands romans. En 1663, le critique littéraire Jean Chapelain juge que « les romans […] sont tombés avec La Calprenède [1] ». En une formule lapidaire, il dresse un constat : les romans, au sens que l'on donnait à ce terme au XVIIᵉ siècle (œuvres longues et riches en péripéties, narrant des histoires d'amour dans un style emphatique), ont disparu avec le dernier des grands romanciers, La Calprenède (1609-1663). Au mot « roman » sont délibérément substitués par les théoriciens et les romanciers, à partir de la fin des années 1650, des termes tels que « nouvelle » et « histoire », ou des expressions formées à partir de ces termes.

Le roman de la première partie du siècle, qu'on nomme roman baroque pour le premier tiers du siècle [2] et roman héroïque pour le deuxième tiers [3], se caractérise

1. J. Chapelain, lettre à M. Carrel de Sainte-Garde du 15 décembre 1663, dans *Opuscules critiques*, éd. A. C. Hunter, Genève, Droz, 1936, p. 477.

2. Le modèle de cette forme est *L'Astrée*, d'Honoré d'Urfé, roman publié en quatre parties entre 1607 et 1628, qui connaît un immense succès durant le XVIIᵉ siècle et dont plusieurs continuations sont proposées, ainsi que des abrégés et de nombreuses imitations.

3. Les principaux romans héroïques sont ceux de Gomberville (*Polexandre*, 1619-1645), de La Calprenède (*Cassandre*, 1642-1645 ; *Cléopâtre*, 1646-1658 ; *Faramond ou l'histoire de France*, 1661-1670) et de Georges et Madeleine de Scudéry (*Ibrahim ou l'Illustre Bassa*, 1641-

par une construction complexe, qui prend pour modèle le roman grec, en particulier l'*Histoire éthiopique* d'Héliodore, traduit en français par Jacques Amyot en 1547. Ce dernier fait précéder sa traduction d'un *Proësme* qui fixe durablement le modèle du roman en France. Il se caractérise par une ouverture *in medias res* (c'est-à-dire au milieu de l'action). Le récit contient ensuite des retours en arrière pour assurer l'information du lecteur et ménager le suspens tout au long du récit. Des épisodes, rapportés par des personnages du récit (ou narrateurs secondaires), sont insérés dans l'histoire principale. L'architecture est complexe, car les niveaux de narration sont nombreux et les personnages également. La trame est souvent la même : les héros, un couple de jeunes gens, sont séparés au début du roman, puis subissent des péripéties qui constituent autant d'épreuves pour leur amour, leur fidélité et leur valeur ; au terme du roman, les jeunes gens enfin réunis peuvent se marier. Ces récits se caractérisent par leur exotisme : les romanciers choisissent un cadre éloigné, dans l'espace comme dans le temps, qui autorise de nombreuses invraisemblances et des lieux communs (naufrage, enlèvement, retrouvailles inattendues, déguisements). Les romans sont comparés par leurs auteurs à des épopées en prose, terme qui se réfère à des modèles prestigieux, susceptibles de conférer ancienneté et régularité à une forme qui n'a pas été théorisée par le philosophe grec Aristote. Enfin, chez le romancier Honoré d'Urfé et plus encore chez Madeleine de Scudéry, le roman est défini par la présence de « beaux endroits » : lettres, conversations, poésies sont insérées dans le récit et constituent des pauses dans la narration. Ce modèle, critiqué par des auteurs comme Charles Sorel dès les années 1620 pour ses invraisemblances, son style

---

1644 ; *Artamène ou le Grand Cyrus*, 1649-1653 ; *Clélie. Histoire romaine*, 1654-1660 ; *Almahide ou l'Esclave reine*, 1660-1663).

emphatique et le caractère répétitif de ses motifs, n'est plus pratiqué après *Clélie*, mais le public continue de lire les grands romans jusqu'à la fin du siècle.

À la parution de *La Princesse de Montpensier*, la nouvelle n'est pas une structure formelle inconnue. Elle a été illustrée au siècle précédent par *L'Heptaméron*, recueil de nouvelles de Marguerite de Navarre, puis employée par les auteurs d'histoires tragiques (récits de l'époque baroque, brefs et violents). Mais ce sont surtout les nombreuses traductions des nouvelles italiennes et espagnoles, en particulier celles du romancier espagnol Miguel de Cervantès, qui ont contribué à la diffuser. Les œuvres qui renouvellent la pratique narrative au milieu du XVIIe siècle – *Les Nouvelles françaises* de Segrais (1656), *La Princesse de Montpensier* (1662), *Dom Carlos* de Saint-Réal (1672), *La Princesse de Clèves* (1678), puis les œuvres de Mme de Villedieu et de Catherine Bernard – s'inspirent manifestement de ce modèle formel [1].

En 1656, Segrais publie un recueil de *Nouvelles françaises* qui livre la théorie et la pratique de la nouvelle, forme qu'il oppose au roman pour sa concision et son cadre spatio-temporel proche. Les nouvelles de son recueil sont reliées par un récit-cadre : la princesse Aurélie se promène avec ses dames de compagnie, qui, tour à tour, prennent la parole et rapportent des histoires dont sont exclus emphase et exotisme.

Mais c'est *La Princesse de Montpensier* qui lance la vogue de la nouvelle historique et galante, en proposant une mise en pratique plus convaincante et plus réussie des recommandations de Segrais. Le premier récit de

---

1. Sur la réception et l'influence des nouvelles espagnoles, voir G. Hautcœur-Perez Espejo, *Parentés franco-espagnoles au XVIIe siècle. Poétique de la nouvelle de Cervantès à Challe*, Honoré Champion, 2005. Sur la définition d'une nouvelle historique classique, voir C. Zonza, *La Nouvelle historique en France à l'âge classique (1657-1703)*, Honoré Champion, 2007.

Mme de Lafayette rencontre un grand succès et connaît cinq réimpressions, toujours anonymes, au cours du XVIIe siècle. En 1664, Sorel commente les innovations de ses contemporains : « On commençait ainsi de connaître ce que c'était que des choses vraisemblables par de petites narrations dont la mode vint, qui s'appelaient les nouvelles. On les pourrait comparer aux histoires véritables de quelques accidents particuliers des hommes. [...] Les nouvelles qui sont un peu longues et qui rapportent les aventures de plusieurs personnes ensemble sont prises pour des petits romans [1]. » Quelques années plus tard, dans *De la connaissance des bons livres* (1671-1673), il fait le bilan de la pratique renouvelée du roman, donnant à *La Princesse de Montpensier* un rôle-clé. Il témoigne de l'étonnement des contemporains devant l'écriture et la forme nouvelles de l'œuvre. En effet, le récit est concis, aucun épisode ne vient interrompre l'intrigue de la princesse éponyme et la morale qui le clôt y met un terme définitif. Les invraisemblances des grands romans tout comme les lieux communs sont, à de rares exceptions près, tenus à l'écart. Si l'œuvre innove, c'est non seulement par la forme qui lui est propre – une nouvelle d'une grande brièveté, sans récit-cadre et située dans un passé suffisamment proche pour être connu des lecteurs –, mais aussi par le rôle qu'y joue l'histoire.

L'HISTOIRE : CHRONOLOGIE ET SOURCES

Mme de Lafayette choisit pour cadre la période qui correspond au règne des derniers Valois : Henri II et son fils François II pour *La Princesse de Clèves*, Charles IX pour *La Princesse de Montpensier*. Les contemporains

---

1. Ch. Sorel, *La Bibliothèque française* [1664], 2e édition revue et augmentée, Compagnie des libraires du palais, 1667, p. 159-160.

de la romancière, qui vivent sous le règne du Roi-Soleil, montrent une fascination pour ces souverains : leur cour est synonyme de magnificence et les grands seigneurs comme les Guise, grisés par leurs succès militaires, s'y caractérisent par l'éclat de leur train, allant parfois jusqu'à défier le roi. Les récits de Mme de Lafayette et les nouvelles historiques publiées pendant les décennies 1670 et 1680 qui, suivant leur exemple, prennent pour héros certains des grands seigneurs de cette période construisent l'image d'un âge d'or marqué par les passions amoureuses et politiques.

L'intrigue de *La Princesse de Montpensier* se déroule en France sous le règne de Charles IX (1560-1574), plus précisément entre le mariage du duc de Montpensier avec Mlle de Mézières (1566) et le massacre de la Saint-Barthélemy (24 août 1572). L'action s'étend donc sur six années, durant lesquelles les événements publics, militaires et politiques scandent l'évolution de l'intrigue galante et privée. Peu après le mariage de l'héroïne, la deuxième guerre de Religion (1567-1568) est l'occasion d'un séjour à Champigny, où le prince de Montpensier confie son épouse à son ami le comte de Chabannes. Chabannes devient le confident de la princesse et s'éprend d'elle. La paix de Longjumeau (mars 1568) permet la réunion des époux, mais aussi la visite fortuite à Champigny du duc d'Anjou et du duc de Guise. Le prince et la princesse de Montpensier sont à nouveau séparés lors de la troisième guerre de Religion (1568-1570), puis la paix de Saint-Germain (août 1570) voit le retour à la cour de la princesse et ses retrouvailles avec le duc de Guise. Les préparatifs des mariages princiers (mariage de Charles IX et d'Élisabeth d'Autriche entre janvier et novembre 1570, mariage de Marguerite de Valois et d'Henri de Bourbon, futur Henri IV, en août 1572) permettent autant de rencontres qui font évoluer l'idylle entre la princesse et le duc de Guise. Celle-ci trouve son terme lors d'une scène de rencontre avortée au château de Champigny, juste avant la Saint-Barthélemy. Le roman se clôt sur cet épisode, au cours duquel le comte de Chabannes trouve la mort. Plusieurs faits militaires sont mentionnés : siège de Paris (1567), bataille de Saint-Denis (novembre 1567), bataille de Jarnac (mars 1569), siège de Poitiers (juillet 1569), bataille de Moncontour (octobre 1569), siège de Saint-Jean-d'Angély (octobre-décembre 1569).

Sans jamais indiquer de dates, la romancière situe précisément son intrigue, respectant à la fois le déroulement des faits et les intervalles de temps qui les séparent. À l'alternance des périodes de paix et de guerre correspondent les séparations et les retrouvailles des époux, ayant pour conséquence le développement de la passion chez l'héroïne et de la jalousie chez son mari.

Les sources historiques de la romancière ont pu être repérées précisément. La référence principale est l'*Histoire des guerres civiles de France*, ouvrage de l'Italien Davila traduit en 1644 par Jean Baudoin[1]. Mme de Lafayette s'est également inspirée de *L'Histoire de France depuis Faramond* (1643-1651) de François Eudes de Mézeray, historiographe de France très lu et apprécié, et de la biographie du duc de Montpensier par son intendant Coustureau (1642). Elle a sans doute consulté les écrits du militaire et écrivain Brantôme, témoin des guerres de Religion, ainsi que les *Mémoires* de Marguerite de Valois. Les emprunts à ces ouvrages, en particulier à celui de Davila, sont nombreux et parfois textuels[2]. L'information historique ne va pas, néanmoins, sans des oublis et des déformations.

---

1. Voir Dossier, p. 83-86.
2. *Ibid.*, p. 85-86.

UNE NOUVELLE HISTORIQUE :
MÊLER L'HISTOIRE ET LA FICTION

La romancière fait élection de personnages et de faits suffisamment proches pour être connus de ses contemporains, aussi sa liberté est-elle limitée. Les noms de Guise, Anjou, Montpensier sont encore portés à la date de la publication. Dans l'édition originale, une note du « libraire au lecteur » vient devancer à ce propos d'éventuelles critiques :

> Le respect que l'on doit à l'illustre nom qui est à la tête de ce Livre, et la considération que l'on doit avoir pour les éminentes personnes qui sont descendues de ceux qui l'ont porté, m'oblige de dire, pour ne pas manquer envers les uns ni les autres en donnant cette histoire au public, qu'elle n'a été tirée d'aucun Manuscrit qui nous soit demeuré du temps des personnes dont elle parle. L'Auteur ayant voulu pour son divertissement écrire des aventures inventées à plaisir a jugé plus à propos de prendre des noms connus dans nos Histoires, que de se servir de ceux que l'on trouve dans les Romans, croyant bien que la réputation de Madame de Montpensier ne serait pas blessée par un récit effectivement fabuleux. S'il n'est pas de ce sentiment, j'y supplée par cet Avertissement : qui sera aussi avantageux à l'Auteur, que respectueux pour moi envers les Morts qui y sont intéressés, et envers les Vivants qui pourraient y prendre part [1].

Si de tels avertissements (qui peuvent émaner indifféremment de l'auteur ou du libraire-éditeur) sont courants, celui-ci se distingue par le discours tenu : là où les auteurs de romans héroïques cherchent à faire passer pour vrai ce qui est fictif, ici le rédacteur de l'avertissement fait de *La Princesse de Montpensier* une simple

---

1. « Le Libraire au Lecteur », dans *La Princesse de Montpensier*, Paris, T. Jolly, L. Billaine et Ch. de Sercy, 1662.

« aventure inventée à plaisir », c'est-à-dire purement fictive. Une telle précaution tient en particulier au fait que l'héroïne de la nouvelle, Renée d'Anjou, fille du marquis de Mézières, est l'arrière-grand-mère de la Grande Mademoiselle [1]. Cette dernière pourrait s'offusquer de voir divulgués des faits scandaleux concernant son ancêtre.

À propos de l'héroïne, peu de choses sont connues. Née en octobre 1550, Renée d'Anjou, future princesse de Montpensier, est la fille de Nicolas d'Anjou, marquis de Mézières et comte de Saint-Fargeau (lui-même fils de René d'Anjou et d'Antoinette de Chabannes), et de Gabrielle de Mareuil. Lorsqu'elle épouse le prince de Montpensier, elle est la seule héritière d'une fortune considérable, ce qui explique sans doute ce mariage inégal, l'époux étant de naissance beaucoup plus élevée. Son seul fils, Henri de Bourbon, que la nouvelle passe sous silence, naît en août 1573. La princesse meurt à une date qui nous est inconnue, ce qui est exceptionnel pour un personnage de cette qualité. Son mari, François de Bourbon (1542-1592), fils de Louis II de Bourbon, duc de Montpensier en 1582, est dit le « prince dauphin » en vertu du dauphiné d'Auvergne attribué à son père en 1543 ; si son père s'est illustré durant les guerres de Religion, son propre rôle reste obscur. Mme de Lafayette choisit donc pour protagonistes des personnages sur lesquels on sait fort peu de choses, ce qui va lui permettre d'attribuer une aventure scandaleuse à une princesse du sang. Elle est bien moins libre en ce qui concerne le duc de Guise et le duc d'Anjou. Le premier appartient à l'une des très grandes familles de l'époque, le second est un prince du sang : fils d'Henri II et de Catherine de Médicis, il deviendra roi de France en 1574 sous le nom d'Henri III.

---

1. La Grande Mademoiselle est Anne-Marie-Louise de Bourbon (1627-1694), fille de Gaston d'Orléans, le frère de Louis XIII, et cousine germaine de Louis XIV.

À l'exception de Chabannes, pour lequel la romancière a seulement recours à un nom célèbre (celui de la grand-mère de l'héroïne), les personnages sont réels et leur peinture est conforme à ce que les historiens en disent. Il en va de même pour les faits : seul le séjour du duc d'Anjou à Champigny, pour lequel la romancière s'inspire peut-être d'un voyage que le duc fit ultérieurement, n'est pas attesté par les sources, et donc très vraisemblablement fictif. Mme de Lafayette introduit ainsi une méthode qui sera reprise avec succès par les auteurs de nouvelles historiques jusqu'à la fin du siècle : elle invente en remplissant les blancs de l'histoire, octroyant à tel personnage fameux, mais dont la vie est mal connue, une aventure mettant aux prises amour et devoir.

L'habileté de la romancière réside dans la manière dont elle imbrique histoire publique (réelle) et histoire privée (inventée mais toujours vraisemblable) de telle manière que la première donne une réelle assise à la seconde et fait accepter ce qui pourrait, autrement, paraître douteux. Un exemple peut illustrer une telle méthode. On sait que le duc de Guise suscita la colère du roi Charles IX pour avoir osé prétendre à une alliance avec sa sœur, Marguerite de Valois. Son mariage avec Catherine de Clèves, princesse de Portien, eut pour but de détourner de lui la colère du roi. La scène est rapportée précisément par Davila [1]. Or Mme de Lafayette reprend cette scène, mais attribue une autre cause au mariage de Guise avec la princesse de Portien : selon elle, le duc ne cherche pas à éviter la colère du roi, mais la jalousie de la princesse de Montpensier, et veut convaincre celle-ci qu'il n'est pas amoureux de Marguerite de Valois.

Plusieurs lectures à clé – on parlait au XVIIe siècle d'*applications* – ont été proposées pour cette nouvelle.

---

1. Voir Dossier, p. 85-86.

Sorel écrit : « On a cru y trouver une aventure de ce Siècle, sous les noms de quelques Personnes de l'ancienne Cour[1]. » Mais aucune clé du XVIIe siècle ne nous est parvenue. Des critiques du XXe siècle ont rapproché l'héroïne d'Henriette d'Angleterre et le duc de Guise du comte de Guiche[2], ou ont trouvé des ressemblances entre Chabannes et Gilles Ménage. On a aussi pu tisser des liens, plus vraisemblables, entre la nouvelle et une anecdote rapportée par Tallemant des Réaux, celle de la duchesse de Roquelaure, délaissée par son amant et qui, en mourant en 1657, révéla à son mari que le père de son enfant était le marquis de Vardes[3].

Au-delà de ces lectures à clé peu certaines, le récit présente une véritable actualité à la date à laquelle il est publié. La nouvelle a pour cadre principal le château de Champigny et pour héroïne l'arrière-grand-mère de la Grande Mademoiselle. Le père de celle-ci, Gaston d'Orléans, se vit imposer par le cardinal de Richelieu, en 1632, l'échange de sa terre de Champigny-sur-Veude, près de Chinon, contre Bois-le-Vicomte. Le cardinal fit démolir le château, ne conservant que la chapelle. Richelieu avait alors pour projet de bâtir en lieu et place un château de Richelieu et de faire édifier aux alentours un

---

1. Voir Dossier, p. 99-100.

2. Henriette d'Angleterre est la fille d'Henriette-Marie de France et de Charles Ier roi d'Angleterre. Elle épousa en 1661 Philippe d'Orléans, frère de Louis XIV. Armand de Gramont et de Toulongeon, comte de Guiche, fut d'abord le favori de Philippe d'Orléans, puis ses assiduités auprès de l'épouse de celui-ci le contraignirent à quitter la cour. Mme de Lafayette rapporte cette liaison dans l'*Histoire d'Henriette d'Angleterre*.

3. Voir E. Magne, *Le Cœur et l'esprit de Madame de La Fayette*, Émile-Paul, 1927, p. 19, et Mme de Lafayette, *Romans et nouvelles*, éd. A. Niderst, Classiques Garnier, 1990, introduction, p. XII-XIII, ainsi que G. Tallemant des Réaux, *Historiettes*, Gallimard, « Bibliothèque de la Pléiade », 1962, t. II, p. 383, et notes 1-2, p. 1235-1236.

village qui pourrait être le modèle d'un projet architectu-
ral étatique [1]. La princesse obtint en 1657 l'annulation de
cet échange et se fit restituer sa terre. Mme de Lafayette
a peut-être souhaité, en choisissant ce lieu et ce personnage, prendre parti pour une princesse frondeuse qui
avait marqué les esprits en défiant l'autorité royale [2]. La
romancière décrit d'ailleurs Champigny dans son état
ancien, avant sa destruction, avec une grande fidélité.
Elle fait état de connaissances si précises concernant le
plan du château qu'on peut penser qu'elle a eu accès
à la description manuscrite rédigée par le mémorialiste
Dubuisson-Aubenay en 1634.

Romanesque, galanterie et héroïsme au féminin

« [C]e que j'y trouve c'est une parfaite imitation du
monde de la cour et de la manière dont on y vit. Il n'y a
rien de romanesque et de grimpé, aussi n'est-ce pas un
Roman, c'est proprement des mémoires, et c'était à ce
que l'on m'a dit le titre du livre mais on l'a changé »,
écrit Mme de Lafayette à propos de *La Princesse de
Clèves* [3]. Elle refuse ainsi le terme de « roman » pour son
œuvre et surtout le « romanesque », que l'on pourrait
définir comme l'ensemble des procédés, personnages et
motifs typiques du roman baroque ou héroïque. On a vu
que la première nouvelle de Mme de Lafayette renouve-
lait l'esthétique de la fiction narrative par l'absence d'épisodes, la linéarité de la narration et l'extrême concision.

---

1. Voir C. Jouhaud, *La Main de Richelieu ou le Pouvoir cardinal*,
Gallimard, 1991.

2. La Grande Mademoiselle venait alors de rentrer d'exil, puisque
sa participation à la Fronde l'avait condamnée à demeurer dans ses
terres de Saint-Fargeau entre 1652 et 1657.

3. Mme de Lafayette, lettre à Lescheraine, 13 avril [1678], dans
Œuvres complètes, op. cit., 78-1, p. 989.

Elle retrouve néanmoins certains procédés du roman héroïque. C'est le cas en particulier lors de la scène de rencontre à Champigny : découvrir une jeune femme « fort belle » et « habillée magnifiquement » dans « un petit bateau qui était arrêté au milieu de la rivière » paraît aux deux seigneurs que sont Anjou et Guise « une chose de roman » (p. 49). Ce qui est ici remarquable, c'est que le narrateur souligne le romanesque de la scène par cette expression, puis par trois occurrences du terme « aventure » : le concours de circonstances est ainsi mis en avant pour son apparence plaisante et surprenante à la fois. Or, à la lecture des historiens consultés par Mme de Lafayette, on peut penser que la présence du prince et de la princesse de Montpensier à Champigny était alors peu probable. L'armée huguenote était proche du château, qui fut assiégé en novembre 1568. La péripétie est donc aussi inattendue que peu vraisemblable. Elle ménage une pause dans ce récit concis au moyen d'une scène d'extérieur qui déclenche une passion non réciproque, celle du duc d'Anjou pour l'héroïne, et qui renouvelle une passion interrompue par le mariage initial, celle du duc de Guise et de la princesse.

Les héros de Mme de Lafayette sont des héroïnes, toujours de très jeunes femmes, généralement des jeunes filles qui se marient dans les premières pages du récit (à l'exception de Zayde, qui se rapproche plutôt du personnage féminin des grands romans héroïques). Tout les distingue dans une cour pourtant habituée aux belles personnes : non seulement leur apparence, mais aussi la grâce, l'élégance et enfin la vertu, ou du moins un sentiment fort de distinction qui touche aussi bien aux valeurs humaines qu'aux valeurs morales, voire chrétiennes. La princesse de Montpensier est présentée dès la première page comme « une héritière très considérable [...] dans une extrême jeunesse [...] en qui paraissaient déjà les commencements d'une grande beauté » (p. 39-40). Elle est alors âgée de treize ou quatorze ans. Lorsque son mari la retrouve après deux ans d'absence, il est « surpris de voir la beauté de cette princesse dans une si haute perfection » (p. 46). La nouvelle se clôt par une dernière mention de sa beauté remarquable : « une des plus belles princesses du monde » (p. 80).

La vertu de l'héroïne est également soulignée au début du récit : Chabannes, lorsqu'il devient son confident dans les premières pages, « lui [voit] des dispositions si opposées à la faiblesse de la galanterie » (p. 44), c'est-à-dire à la relation adultère. En effet, jusqu'aux retrouvailles avec Guise, la princesse est guidée par le sentiment de son devoir. Le terme « vertu » est utilisé à sept reprises dans la nouvelle, et toujours à son propos. Lorsque Chabannes lui révèle son amour, elle fait preuve de « tranquillité », de « froideur » (p. 44) et même de « bonté » (p. 45), non de colère ou de mépris. C'est elle qui lui rappelle « ce qu'il [doit] à la confiance et à l'amitié du prince son mari » (p. 45). Elle n'est pas le seul personnage à manifester une telle grandeur d'âme : Chabannes fait montre à son tour de magnanimité lorsque la princesse lui expose son amour pour Guise et va jusqu'à se sacrifier dans la scène finale pour sauver la princesse et son amant.

Les personnages masculins se distinguent par leur beauté mais aussi par leur valeur. C'est en particulier le cas de Guise, dont la « renommée » (p. 45) lors des combats de la deuxième guerre civile n'échappe pas à la princesse, reléguée à Champigny. Lors de la bataille de Jarnac, Guise a « des emplois fort considérables » qui font « connaître qu'il passait de beaucoup les grandes espérances qu'on avait conçues de lui » (p. 48). Le siège de Poitiers permet enfin au narrateur de le placer au-dessus de tous les autres seigneurs : il « y fit des actions qui suffiraient seules à rendre glorieuse une autre vie que la sienne » (p. 55).

La beauté des corps et la magnificence des décors apparaît en particulier lors de la scène du bal. Cette scène centrale où se noue le drame voit apparaître l'héroïne dans tout son éclat : parmi toutes les princesses, elle seule peut « disputer » à Madame « le prix de la beauté » (p. 60). C'est à la suite de cette scène que Guise renonce à une alliance prestigieuse avec Madame pour prouver à la princesse qu'il n'aime qu'elle. Cet épisode joue un rôle important dans l'économie du récit, puisqu'il découvre la passion cachée de la princesse pour le duc : la princesse, croyant s'adresser à Guise, déguisé en Maure pour l'occasion, se méprend et s'entretient avec le duc d'Anjou, qui porte le même costume. Elle lui révèle ainsi qu'il a un rival aimé en la personne de Guise. Un tel subterfuge, éminemment romanesque, entraîne une brouille momentanée entre les amants. On pourrait le comparer à la scène, fondamentale, de l'aveu dans *La Princesse de Clèves* : le duc de Nemours, amant de la princesse, assiste caché aux révélations que l'héroïne fait à son mari. Dans les deux cas, la confidence revient aux oreilles de son auteur, qui croit avoir été trompé par la personne à qui il s'est confié.

L'héroïne de *La Princesse de Clèves* se distingue du reste de la cour par une vertu qui reste « inimitable [1] » jusqu'à la dernière page. Celle de *La Princesse de Montpensier* se laisse aller à la passion et meurt « dans la fleur de son âge, une des plus belles princesses du monde et qui aurait été la plus heureuse si la vertu et la prudence eussent conduit toutes ses actions » (p. 80). Le manque de « vertu » et de « prudence » ici dénoncé par le narrateur sépare les deux princesses, tout comme la nouvelle de 1662, où la noirceur et le pessimisme sont affichés, se distingue du roman de 1678, où la dénonciation est bien

---

1. Mme de Lafayette, *La Princesse de Clèves*, in *Œuvres complètes*, *op. cit.*, p. 478.

présente mais contrebalancée par l'horizon d'un « repos » possible pour qui sait vivre sans passion.

EXEMPLARITÉ ET TRAGIQUE : LES « DÉSORDRES DE L'AMOUR »

Les relations entre les protagonistes dans ce récit peuvent être rapprochées de celles que présente l'intrigue de *La Princesse de Clèves* : un triangle amoureux (le mari, la femme, l'amant) est sur le devant de la scène, et un autre amant, moins fortuné que le premier et jaloux de celui-ci, joue le rôle d'observateur perspicace. Dans *La Princesse de Montpensier,* l'intrigue se complique par la présence de Chabannes, qui est l'ami du prince, mais également l'ami et le soupirant de la princesse. S'il ne parvient pas au début du récit à maîtriser sa passion pour elle et se voit contraint de la lui avouer, il n'en joue pas moins le rôle de confident de l'héroïne, au point de ménager une rencontre entre la princesse et le duc de Guise. Il représente ainsi une passion dévouée et dénuée d'intérêt, à l'inverse des deux autres protagonistes masculins. Tous deux sont des exemples du rôle mortifère des passions, amour et jalousie au premier chef. En effet, la concurrence entre le prince et Guise fait naître « entre eux une haine qui ne finit qu'avec leur vie », annonce le narrateur au début du roman (p. 41). La « fierté » de Guise est relevée à plusieurs reprises, notamment lors d'un conflit avec le duc d'Anjou : les menaces de ce dernier « gravèrent dans son cœur un désir de vengeance qu'il travailla toute sa vie à satisfaire » (p. 61). Ces deux notations révèlent la présence d'un narrateur qui, par petites touches, délivre un savoir sur les personnages à même d'infléchir la suite de l'intrigue, introduisant une fatalité dans l'évocation des passions. Jalousie et vengeance sont ainsi communes aux personnages masculins et viennent nuancer la peinture éclatante de leur beauté physique et de leur habileté au combat. De plus, dans le cas de Guise, la passion est aussi forte qu'elle est peu durable. Sitôt séparé de la princesse, il s'éprend de la marquise de Noirmoutiers, et l'annonce de cette liaison contribue à faire mourir d'amour et de honte la princesse.

Le personnage féminin est présenté de façon plus ambivalente. On a vu que l'incipit de la nouvelle en faisait un personnage dont les actes sont guidés par la vertu, tandis que la fin la condamnait explicitement. Mais la morale qui clôt le récit montre, par le biais du conditionnel passé (« qui aurait été la plus heureuse », p. 80) et de la proposition hypothétique au subjonctif plus-que-parfait (« si la vertu et la prudence eussent conduit toutes ses actions », p. 80), que le sort de la princesse aurait pu être différent. La vertu qui la caractérisait au début de la nouvelle a cédé à l'amour pour un homme digne d'admiration. Elle est donc « tombée comme les autres femmes [1] », pour reprendre l'expression dont use Mme de Chartres, mère de la princesse de Clèves, afin de convaincre sa fille de ne pas se laisser aller à la passion. Si l'adultère n'est pas consommé, tandis qu'il l'est dans *La Comtesse de Tende*, c'est avant tout le fait de l'arrivée inopinée du mari dans la chambre où les amants sont réunis. Tout comme la princesse de Clèves, l'héroïne incarne ici l'impossible conciliation entre la passion amoureuse et la valeur morale, ce qui fait écho à l'une des maximes de La Rochefoucauld : « Qu'une femme est à plaindre quand elle a tout ensemble de l'amour et de la vertu [2]. »

1. *Ibid.*, p. 366.
2. « Maxime écartée », 49, dans F. de La Rochefoucauld, *Maximes, Mémoires, Œuvres diverses*, éd. J. Truchet, M. Escola, A. Brunn, LGF, « Le Livre de Poche. Classiques Modernes », 2001, p. 278.

D'autres auteurs conçoivent, à cette époque, leurs récits comme l'illustration de maximes ; c'est le cas de Mme de Villedieu dans un recueil intitulé *Les Désordres de l'amour.* Dans *La Princesse de Montpensier,* une seule sentence est livrée directement au lecteur et semble être un commentaire du narrateur sur le comportement de son personnage : « L'on est bien faible quand on est amoureux » (p. 69). Elle justifie le manque de vertu de la princesse et joue un rôle proleptique, annonçant la fin malheureuse de la nouvelle qui, rétrospectivement, semble inévitable depuis le premier paragraphe. En ce sens, cette maxime est porteuse d'une vision profondément pessimiste. Elle nie la possibilité pour l'homme de maîtriser ses passions et donne un sens tragique à l'existence, rapprochant les héroïnes de Mme de Lafayette de celles des tragédies de Racine. Tout comme *Bérénice, La Princesse de Montpensier* est à même de frapper les lecteurs par l'alliance contradictoire de la tristesse et de la jeunesse, de la mort et de la beauté.

La vérité morale est ici plus importante que la vérité historique, ce qui autorise des libertés avec la chronologie, des oublis et des inventions. De ce fait, le vraisemblable l'emporte sur le vrai, et la peinture des passions est dotée d'une forme d'évidence. La mort de l'héroïne au terme de la nouvelle est le fait de « la plus violente de toutes les passions », la honte [1]. Perdue de réputation, apprenant coup sur coup la mort de son confident et la trahison de son amant, la jeune femme se laisse dépérir. À l'opposé de l'optimisme du roman héroïque, qui donnait à voir la réunion et le bonheur des amants à la fin de leurs aventures, la nouvelle historique telle que Mme de Lafayette la fonde se caractérise par le regard

---

1. Voir M. Cuénin, « La mort dans l'œuvre de Mme de Lafayette », *Papers on French Seventeenth Century Literature*, nº 10, 1978-1979, p. 89-119.

pessimiste que portent leurs auteurs sur la condition humaine. Les actions sont sous-tendues par l'intérêt, la dissimulation régit les relations entre les êtres, et la magnificence du décor et des costumes n'est qu'apparence. L'amour est associé au trouble, à la douleur, aux larmes et à la honte. La romancière montre ainsi que la galanterie peut être, certes, une valeur – synonyme de civilité et de bienséance dans les relations entre personnes de sexe différent –, mais aussi une série de faux-semblants, où le mensonge va de pair avec l'ambition et l'amour-propre.

On comprend les critiques que ce type de récit a pu provoquer. L'adultère féminin passait alors pour un crime très grave, ce qui fait écrire à la comtesse de Tende, lorsqu'elle avoue son méfait à son époux : « Je mérite la mort[1]. » Les récits de Mme de Lafayette montrent la difficulté, pour la raison et la conscience, de résister à la passion. C'est pourquoi les contempteurs de la nouvelle historique, prenant appui sur les traités des passions – le genre « connaît une vogue européenne dans les années 1610-1650[2] » –, soulignent le risque de représenter les passions de femmes mariées et en viennent à condamner un genre qui les dépeint[3].

QUESTIONS DE STYLE : PRÉCIOSITÉ, MAGNIFICENCE ET SOBRIÉTÉ

Le style fastueux des Romans héroïques étant un peu radouci, le premier Livre qui a été écrit d'un Style digne

---

1. Mme de Lafayette, *La Comtesse de Tende*, in *Œuvres complètes*, *op. cit.*, p. 72.

2. M. Fumaroli, *L'Âge de l'éloquence*, Genève, Droz, 1980, p. 389, note 395.

3. Voir Dossier, p. 100-104.

d'approbation, a été la petite Nouvelle de La Princesse de Montpensier, où de vrai il n'y a point de ces mots nouveaux dont on se sert en discours familiers, mais cela est accommodé à l'air d'une personne qui écrit de même qu'elle parle, et qui parle toujours fort bien et fort agréablement. On a voulu faire quelques Nouvelles ou Historiettes à son imitation, mais les unes ont été rendues trop libres dans le récit de leurs aventures, et les autres ont été remplies d'un langage extraordinaire [1].

En dehors de l'unique maxime qu'on a relevée et de la dernière phrase de la nouvelle, l'écriture de *La Princesse de Montpensier* n'est pas celle d'un moraliste. Le message délivré peut être rapproché de la pensée de La Rochefoucauld ou du philosophe Blaise Pascal, montrant la fausseté des vertus et la misère de l'homme lorsqu'il est livré à lui-même [2]. Mais le style est celui d'un historien, extérieur aux événements qu'il rapporte, à l'exception des rares mentions qui annoncent le danger des passions en présence. Les remarques concernant la psychologie des personnages sont mises sur le même plan que les faits rapportés. Le récit est entièrement au passé simple et à l'imparfait, ce qui introduit une grande continuité de la narration. Les passages de discours direct, rares et notables, viennent émailler une narration dont la langue pure et économe confine au dépouillement. En effet, les phrases sont courtes, la syntaxe assez simple, parfois même répétitive. Superlatifs, intensifs et hyperboles – trois des principales caractéristiques de l'écriture de Mme de Lafayette – sont courants et participent à

---

1. Ch. Sorel, *De la connaissance des bons livres, ou examen de plusieurs auteurs*, A. Pralard, 1671-1673, traité IV, « De la Manière de bien parler, et de bien écrire. Du bon Style, et de l'Éloquence ; et du nouveau Langage français », chap. IV, p. 371.

2. Voir Ph. Sellier, *Port-Royal et la littérature, II. Le siècle de saint Augustin, La Rochefoucauld, Mme de Lafayette, Sacy, Racine*, Honoré Champion, 2000.

l'atmosphère majestueuse du récit. Ils qualifient tout particulièrement l'héroïne et montrent comment elle se distingue du reste de la cour. On remarque notamment une concentration de ces procédés dans le passage où Chabannes parachève l'éducation de la princesse :

> Chabannes, de son côté, regardait avec admiration tant de beauté, d'esprit et de vertu qui paraissaient en cette jeune princesse et, se servant de l'amitié qu'elle lui témoignait pour lui inspirer des sentiments d'une vertu extraordinaire et dignes de la grandeur de sa naissance, il la rendit en peu de temps une des personnes du monde la plus achevée (p. 43).

L'autre figure de style fréquente est la litote, procédé caractéristique de la langue classique qui permet de dire beaucoup en peu de mots. Prenant l'apparence de l'atténuation, elle est souvent assez proche de l'hyperbole : « il n'avait *pas peu* de peine à la guérir de la jalousie que lui donnait la beauté de Madame », « Le roi avait *déjà* assez d'aigreur contre le duc de Guise » (p. 60 et 62 ; nous soulignons). Elle est également utilisée, ici comme dans les autres œuvres de Mme de Lafayette, pour nommer le sentiment amoureux alors que le personnage ne se l'avoue pas et, surtout, ne l'énonce pas explicitement : « [la princesse] lui permit de croire qu'elle n'était pas insensible à sa passion » (p. 66).

En comparaison de *La Princesse de Clèves*, le style est plus abrupt, du fait de l'extrême brièveté du texte et du nombre beaucoup plus réduit d'analyses psychologiques. Plus direct, il est aussi moins suggestif. L'écriture de la romancière est marquée par la préciosité, mouvement de pensée dont on connaît l'importance au milieu du XVIIe siècle par la critique de Molière dans *Les Précieuses ridicules* (1659), et qui concerne en particulier le style [1].

---

1. Voir M. Dufour-Maître, *Les Précieuses, naissance des femmes de lettres en France au XVIIe siècle*, Honoré Champion, 1999, ainsi que D. Denis, *Le Parnasse galant : institution d'une catégorie littéraire au XVIIe siècle*, Honoré Champion, 2001.

Mme de Lafayette connaît aussi bien la pratique que la critique du style précieux, on le voit notamment dans deux lettres-pastiches écrites vers 1670, exercices de style qui mettent au grand jour son goût pour la raillerie. Elle y tourne en dérision le langage à la mode, néologismes, métaphores imagées, expressions vides de sens que ses contemporains qualifient de « galimatias » ou de « phébus »[1]. *La Princesse de Montpensier* présente néanmoins quelques subtiles traces de l'influence du milieu précieux par l'emploi abondant des adjectifs « extrême » et « extraordinaire », et des adverbes « extrêmement » et « extraordinairement », par des alliances de termes opposés, des traits ou quelques rares métaphores audacieuses, comme celle qui associe Guise et le saumon :

> M. de Guise ne se mêlait point dans la conversation, et sentant réveiller dans son cœur si vivement tout ce que cette princesse y avait autrefois fait naître, il pensait en lui-même qu'il pourrait demeurer aussi bien pris dans les liens de cette belle princesse que le saumon l'était dans les filets du pêcheur (p. 51).

Cette image est d'ailleurs supprimée dans la version imprimée du livre, où le propos est plus simple et moins suggestif[2].

Le style du récit marqua les contemporains, le jugement de Sorel cité plus haut le montre. Mais ce sont

---

1. Voir « Lettre écrite par Madame de La Fayette, où elle fait parler un amant jaloux de sa Maîtresse » et « Seconde Lettre de Madame de La Fayette, composée de phrases, où il n'y a point de sens, que bien des gens de la Cour mêlent dans leur discours, 2 mai 1670 », dans *Œuvres complètes, op. cit.*, p. 85-86. Voir D. Denis, « Ce que parler "prétieux" veut dire : les enseignements d'une fiction linguistique au XVIIe siècle », *L'Information grammaticale*, nº 78, 1998, p. 53-58.

2. Sur le style de Mme de Lafayette, voir les analyses de Gilles Siouffi dans J. Rohou et G. Siouffi, *Lectures de Madame de Lafayette*, Rennes, PUR, 2015, p. 165-193.

surtout le regard profondément pessimiste et la dénonciation portée par le narrateur qui frappent le lecteur : l'amour y est un sentiment qui ne peut être pur, la cour un monde de faux-semblants. L'interprétation qu'en a proposée le réalisateur Bertrand Tavernier, en 2010, délaisse ce pessimisme et la mélancolie qui le porte au profit d'une peinture des préoccupations des hommes et des femmes à la cour, de la rivalité qui les anime et de la magnificence des décors. Elle met de côté ce qui n'est que suggestion dans l'œuvre, mais aussi la noirceur profonde du message livré par la nouvelle. « L'adaptation filmique a exigé plusieurs changements majeurs [1] », indique le réalisateur : le film vise surtout à montrer la force des sentiments et le choix de personnages vivant jusqu'au bout leurs passions, la princesse par son tourment, le prince par sa jalousie. Ce qui est tu, ou dit entre les lignes de la nouvelle, est livré au grand jour afin de montrer la tension incessante qui parcourt l'histoire.

La Princesse de Montpensier dépeint une femme écartelée entre un mari qu'elle ne parvient pas à aimer et un amant vers lequel elle se sent irrésistiblement attirée. Le scénario est repris dans *La Princesse de Clèves*, avec un approfondissement de la psychologie du personnage qui révolutionne la pratique du roman. Dans la première œuvre de Mme de Lafayette, la violence de l'intrigue va de pair avec l'écriture incisive qui la porte, et aboutit à une leçon morale que la romancière jette de plein fouet, non pour convaincre le lecteur, mais pour le frapper. L'art classique de la nouvelle est né.

Camille ESMEIN-SARRAZIN

---

1. Bertrand Tavernier, avant-propos de *La Princesse de Montpensier : un film de Bertrand Tavernier, suivi de la nouvelle de Mme de Lafayette*, Flammarion, 2010, p. 15. Ce texte est reproduit en intégralité *infra* ; voir p. 131.

NOTE SUR LA PRÉSENTE ÉDITION

La nouvelle est publiée en 1662 sans nom d'auteur sous le titre *La Princesse de Montpensier*, puis imprimée à sept reprises du vivant de l'auteur sans que le texte soit modifié. On connaît par ailleurs quatre versions manuscrites de ce texte : trois d'entre elles, qui ne sont pas des copies autographes, présentent un texte différent de celui de l'imprimé, la quatrième [1] étant la transcription de la version imprimée.

Des trois copies anciennes, l'une, qui nous est connue par les travaux d'André Beaunier [2], appartient à un collectionneur privé et se trouve actuellement indisponible. Les deux autres, conservées à la Bibliothèque nationale de France [3], portent un titre différent de la version imprimée, commençant par le terme « histoire ».

Les deux copies disponibles présentent un état du texte dont l'analyse révèle qu'il est antérieur à la version imprimée. Les copies présentent de nombreuses différences, mais aussi beaucoup de proximités. S'il est impossible d'y voir le texte original de la romancière, on peut postuler

---

1. Bibliothèque municipale de Nîmes, ms. 235, folios 79-112. Cette copie porte la date de 1728.

2. Voir Mme de Lafayette, *La Princesse de Montpensier*, éd. A. Beaunier, La Connaissance, « Les Textes », 1926.

3. BNF : Ms. fr. 16269, folios 99-138 : « Histoire touchant les Amours de la Duchesse de Montpensier avec le Duc de Guise dit Balafré », et Nouvelles acquisitions 1563, folios 56-87 : « Histoire de la Princesse de Montpensier, sous le règne de Charles IXe Roi de France ».

qu'il s'agit d'une version proche de celui-ci, tel qu'il fut rédigé par Mme de Lafayette avant d'être corrigé et lissé. La correspondance de la romancière fait à plusieurs reprises référence au travail de relecture qu'elle confia à son ami Ménage. Une étude précise des deux copies et la confrontation de leurs leçons permettent de conforter l'hypothèse que la reprise du texte fut menée par l'auteur des *Origines de la langue française* [1].

Le travail de réécriture pris en charge par Ménage recherche avant toute chose la clarté du propos. Des circonstances sont souvent ajoutées pour rendre le sens plus explicite. Les phrases qui comportent plusieurs propositions subordonnées sont coupées ou simplifiées. Des noms remplacent les pronoms qui ne sont pas évidents. Les grandes lignes de cette correction sont donc la recherche de la clarté, de la simplicité, de l'évidence et la suppression de l'équivoque. Elle a pour effet de conférer à une écriture spontanée, vive et suggestive, voire hardie, un style plus académique qui ne laisse pas place à l'implicite.

Cette correction nous est notamment connue par la mention, dans une lettre de Mme de Lafayette à Ménage, d'une « faute épouvantable » introduite lors de l'impression : l'erreur concerne une faute d'accord sur un participe qui est présente dans les versions manuscrites et qui rend le texte incompréhensible. Or l'éditeur, au lieu de la corriger simplement, a remanié le texte de telle sorte qu'il cautionne une rumeur, qui circule à cette époque, concernant la passion incestueuse de Marguerite de Valois pour son frère Henri, alors duc d'Anjou [2].

---

1. Voir C. Esmein-Sarrazin, « Ménage lecteur et correcteur de *La Princesse de Montpensier* de Mme de Lafayette », dans « Gilles Ménage : un homme de langue dans la République des Lettres », I. Trivisani-Moreau (dir.), *Littératures classiques*, n° 88, 2015, p. 77-89.

2. Voir p. 57. Sur cette rumeur, voir E. Viennot, *Marguerite de Valois : « la reine Margot »*, Perrin, 2005, p. 39-40.

Les éditions modernes de *La Princesse de Montpensier* ont parfois fait le choix de donner la version imprimée, parce qu'elle avait circulé auprès des contemporains et qu'elle était jugée plus sûre. Depuis les travaux d'André Beaunier et de Micheline Cuénin, c'est le choix inverse qui prévaut le plus souvent, en s'appuyant sur la conviction que les versions manuscrites donnent à lire un texte plus proche de celui de Mme de Lafayette et, surtout, qui correspond à une autre idée du style romanesque. Aussi donnons-nous à lire ici le texte de la version manuscrite conservée sous la cote Nouvelles acquisitions 1563 (nommée « NAF » dans les notes), car c'est la copie la moins fautive, et livrons en notes les variantes les plus significatives à la fois de l'autre copie manuscrite (nommée « Ms. fr. ») et du texte qui fut imprimé du vivant de l'auteur (nommé « I »). Le lecteur pourra ainsi constater de lui-même ce qui sépare les différentes versions. Ces variantes sont signalées dans les notes appelées par une lettre.

L'orthographe et la ponctuation ont été modernisées et harmonisées, ainsi que la graphie des noms propres. Il en va de même pour la disposition du texte en paragraphes, quasi absente dans le manuscrit. Néanmoins, on conserve certaines spécificités de la langue classique, notamment l'accord du verbe, qui se fait très souvent avec le sujet le plus proche lorsqu'il y en a plusieurs, ou encore l'usage des pronoms personnels, qui ne sont pas toujours placés là où on les attend en français moderne. Nous avons souvent mentionné en note le sens du passage, s'il n'allait pas de soi, au moyen d'une reformulation. Quand il a fallu intervenir sur le texte de la copie manuscrite, en le corrigeant le plus souvent à l'aide de la version imprimée, nous le signalons, sauf s'il s'agit d'une erreur manifeste.

C. E.-S.

Histoire de la princesse
de Montpensier

sous le règne de Charles IX,
roi de France
1662 [a]

---

a. Ms. fr. : « Histoire touchant les Amours de la Duchesse de Montpensier avec le Duc de Guise dit Balafré ». I : « La Princesse
de Montpensier ».

Pendant que la guerre civile déchirait la France sous le règne de Charles IX [1], l'amour ne laissait pas de trouver sa place parmi tant de désordres, et d'en causer beaucoup dans son empire. La fille unique du marquis de Mézières [2], héritière très considérable et par ses grands biens et par l'illustre maison [3] d'Anjou dont elle était descendue, était comme accordée [a] au duc du Maine, cadet du duc de Guise, que l'on a appelé depuis le Balafré [4]. Ils étaient tous deux dans une extrême jeunesse [5] et le

---

a. I : « était promise ».

---

1. Charles IX (1550-1574), troisième fils d'Henri II et de Catherine de Médicis, roi de France à partir de 1560.

2. Renée d'Anjou (1550- ?), fille de Nicolas d'Anjou, marquis de Mézières, et de Gabrielle de Mareuil. C'est la troisième et la seule survivante des quatre enfants du couple. Selon Mme de Lafayette, elle descendait de la maison d'Anjou : la branche était issue du fils naturel de Charles d'Anjou, comte du Maine, c'est-à-dire Louis d'Anjou (né en 1483), seigneur de Mézières et arrière-grand-père de l'héroïne.

3. Famille.

4. François Ier de Lorraine, deuxième duc de Guise (1519-1563), reçut le surnom de « Balafré ». Il épousa Anne d'Este. Deux de leurs enfants sont évoqués ici : Henri Ier de Lorraine (1550-1588), dit lui aussi le « Balafré » à cause d'une blessure reçue en 1575, qui prit la tête de la Ligue (parti catholique farouchement opposé au protestantisme) et fut assassiné sur l'ordre d'Henri III, est nommé « duc de Guise » dans la nouvelle ; Charles de Lorraine, duc du Maine (1554-1611), duc de Mayenne, chef de la Ligue à la mort de son frère et adversaire d'Henri IV.

5. Nés en 1550, Renée d'Anjou et Henri de Lorraine, duc de Guise, ont treize ans lorsque commence l'histoire, trois ans avant le mariage de l'héroïne ; Charles de Lorraine, duc du Maine, est âgé de neuf ans.

duc de Guise, voyant souvent cette prétendue belle-sœur, en qui paraissaient déjà[a] les commencements d'une grande beauté, en devint amoureux et en fut aimé.

Ils cachèrent leur intelligence[b][1] avec beaucoup de soin, et le duc de Guise, qui n'avait pas encore autant d'ambition qu'il en eut depuis, souhaitait ardemment de l'épouser ; mais la crainte du cardinal de Lorraine son oncle[2], qui lui tenait lieu de père, l'empêchait de se déclarer.

Les choses étaient en cet état lorsque la maison de Bourbon, qui ne pouvait voir qu'avec envie l'élévation de celle de Guise, s'apercevant de l'avantage qu'elle recevrait de ce mariage, se résolut de le lui ôter et de se le procurer à[c] elle-même, en faisant épouser cette grande héritière[d] au jeune prince de Montpensier, que l'on appelait quelquefois le prince dauphin[3][e].

L'on travailla à cette affaire avec tant de succès que les parents[4], contre les paroles qu'ils avaient données au

a. I : « Balafré. L'extrême jeunesse de cette grande Héritière retardait son mariage. Et cependant le duc de Guise qui la voyait souvent, et qui voyait en elle ».

b. I : « leur amour ».

c. I : « et d'en profiter ».

d. I : « cette Héritière ».

e. I : « Prince de Montpensier ».

---

1. Accord, bonne entente.

2. Charles de Lorraine (1524-1574), fils du premier duc de Guise, frère cadet de François Ier de Lorraine, dit le cardinal de Lorraine à partir de 1547. Il servit de tuteur aux enfants de François de Lorraine à la mort de ce dernier.

3. François de Bourbon (1542-1592), fils de Louis III de Bourbon, duc de Montpensier, et de Jacqueline de Longwy, dit le « prince dauphin » en vertu du dauphiné d'Auvergne attribué à son père en 1543. Il devint duc de Montpensier à la mort de son père, en 1582. Il épousa en 1566 Renée d'Anjou, alliance surprenante par l'inégalité de naissance.

4. Membres d'une même famille.

cardinal de Guise [1], se résolurent de donner leur nièce au prince de Montpensier. Ce procédé surprit extrêmement toute la maison de Guise, mais le duc en fut accablé de douleur, et l'intérêt [2] de son amour lui fit recevoir ce changement [a] comme un affront insupportable.

Son ressentiment éclata bientôt malgré les réprimandes du cardinal de Guise et du duc d'Aumale [3], ses oncles, qui ne voulaient pas s'opiniâtrer à une chose qu'ils voyaient ne pouvoir empêcher. Il s'emporta avec tant de violence, même en présence du jeune prince de Montpensier, qu'il en naquit entre eux une haine qui ne finit qu'avec leur vie.

Mlle de Mézières, tourmentée par ses parents [b], voyant qu'elle ne pouvait épouser M. de Guise et connaissant par sa vertu qu'il était dangereux d'avoir pour beau-frère un homme qu'elle souhaitait pour mari, se résolut enfin d'obéir à ses parents [c] et conjura M. de Guise de ne plus apporter d'opposition à son mariage. Elle épousa donc le jeune prince de Montpensier qui, peu de temps après, l'emmena à Champigny, séjour ordinaire des princes de sa maison [4], pour l'ôter de Paris, où apparemment tout l'effort de la guerre allait tomber [5].

---

a. I : « ce manquement de parole ».
b. I : « parents d'épouser ce prince ».
c. I : « de suivre le sentiment de ses proches ».

---

1. Louis de Lorraine (1527-1578), quatrième fils du premier duc de Guise, frère de François de Lorraine et du cardinal de Lorraine, dit le cardinal de Guise.
2. Le soin.
3. Claude de Lorraine (1526-1573), duc d'Aumale en 1550, troisième fils du premier duc de Guise et frère cadet de François de Lorraine.
4. La famille de Montpensier possédait un château à Champigny-sur-Veude, près de Chinon.
5. Il s'agit de la deuxième guerre de Religion, qui commença en septembre 1567.

Cette grande ville était menacée d'un siège par l'armée des huguenots [1], dont le prince de Condé [2] était le chef, et qui venait de prendre les armes contre le roi [a] pour la seconde fois [3].

Le prince de Montpensier, dans sa plus grande jeunesse, avait fait une amitié très particulière avec le comte de Chabannes [4], et ce comte, quoique d'un âge beaucoup plus avancé, avait été [b] si sensible à l'estime et à la confiance de ce prince que, contre tous ses propres intérêts, il abandonna le parti des huguenots, ne pouvant [c] se résoudre à être opposé en quelque chose à un homme qui lui était si cher.

Ce changement de parti n'ayant point d'autre raison que celle de l'amitié, l'on douta qu'il fût véritable, et la

---

a. I : « de déclarer la Guerre au Roi ».

b. I : « Chabannes, qui était un homme d'un âge beaucoup plus avancé que lui, et d'un mérite extraordinaire. Ce Comte avait été ».

c. I : « contre les engagements qu'il avait avec le Prince de Condé, qui lui faisait espérer des emplois considérables dans le Parti des Huguenots, il se déclara pour les Catholiques, ne pouvant ». L'imprimé explicite nettement la version initiale.

---

1. Nom donné aux protestants de France pendant les guerres de Religion.

2. Louis Ier de Bourbon (1530-1569), fils de Charles de Bourbon, duc de Vendôme, et de Françoise d'Alençon, dit le prince de Condé, était l'adversaire des Guise et le chef des huguenots depuis 1562 (première guerre de Religion). Fait prisonnier en 1562, il fut relâché en 1563 et reprit les armes en 1567. Il fut battu et assassiné à la bataille de Jarnac, en mars 1569.

3. Le prince de Condé mit le siège devant Paris après avoir tenté de s'emparer du jeune Charles IX à Meaux et livré Le Havre aux Anglais ; le connétable de Montmorency, à la tête de l'armée royale, livra alors la bataille de Saint-Denis (10 novembre 1567) dont il est question plus loin.

4. Le personnage est fictif, mais porte le nom d'une famille célèbre : la Grande Mademoiselle, cousine germaine du roi Louis XIV, descendait d'une certaine Antoinette de Chabannes, épouse de René d'Anjou, le grand-père de la princesse de Montpensier.

reine mère Catherine de Médicis [1] en eut de si grands
soupçons que, la guerre étant déclarée par les huguenots,
elle eut dessein de le faire arrêter.

Mais le prince de Montpensier l'empêcha, en lui répondant de la personne du comte de Chabannes, qu'il amena
à Champigny en s'y en allant [2] avec sa femme. Ce comte,
étant d'un esprit fort sage et fort doux, gagna bientôt
l'estime de la princesse de Montpensier et, en peu de
temps, elle n'eut pas moins d'amitié pour lui qu'en avait
le prince son mari. Chabannes, de son côté, regardait avec
admiration tant de beauté, d'esprit et de vertu qui paraissaient en cette jeune princesse et, se servant de l'amitié
qu'elle lui témoignait pour lui inspirer des sentiments
d'une vertu extraordinaire et dignes de la grandeur de sa
naissance, il la rendit en peu de temps une des personnes
du monde la plus achevée.

Le prince étant revenu à la cour, où la continuation de
la guerre l'appelait, le comte demeura seul avec la princesse, et continua d'avoir pour elle un respect et une
amitié proportionnés à sa qualité [3] et à son mérite.

La confiance s'augmenta de part et d'autre, et à tel point
du côté de la princesse de Montpensier qu'elle lui apprit
l'inclination qu'elle avait eue pour M. de Guise, mais elle
lui apprit aussi en même temps qu'elle était presque éteinte
et qu'il ne lui en restait que ce qui était nécessaire pour
défendre l'entrée de son cœur à tout autre [a], et que, la vertu
se joignant à ce reste d'impression, elle n'était capable que

a. I : « à une autre inclination ».

1. Catherine de Médicis (1519-1589) épousa en 1533 le duc
d'Orléans, qui devint roi de France en 1547 sous le nom d'Henri II.
Après la mort de son époux, en 1559, et de son fils aîné, François II,
en 1560, elle devint régente du royaume pour son second fils, Charles IX. Elle tenta de rapprocher catholiques et protestants.

2. En y allant.

3. Haut rang nobiliaire.

d'avoir du mépris pour tous ceux qui oseraient lever les yeux jusques à elle [a].

Le comte, qui connaissait la sincérité de cette belle princesse, et qui lui voyait d'ailleurs des dispositions si opposées à la faiblesse de la galanterie [1], ne douta point qu'elle ne lui dît la vérité de ses sentiments [b] ; et néanmoins, il ne put se défendre de tant de charmes qu'il voyait tous les jours de si près. Il devint passionnément amoureux de cette princesse et, quelque honte qu'il trouvât à se laisser surmonter [2], il fallut céder, et l'aimer de la plus violente et de la plus sincère passion qui fut jamais. S'il ne fut pas maître de son cœur, il le fut de ses actions. Le changement de son âme n'en apporta point dans sa conduite, et personne ne soupçonna son amour. Il prit un soin exact pendant une année entière de le cacher à la princesse, et il crut qu'il aurait toujours le même désir de le lui cacher, mais l'amour fit en lui ce qu'il fait en tous les autres : il lui donna l'envie de parler, et, après tous les combats qui ont accoutumé de se faire en pareilles occasions, il osa lui dire qu'il l'aimait, s'étant bien préparé à essuyer les orages dont la fierté de cette princesse le menaçait. Mais il trouva en elle une tranquillité et une froideur pires mille fois que toutes les rigueurs à quoi il s'était attendu : elle ne prit pas la peine de se mettre en colère.

Elle lui représenta en peu de mots la différence de leurs qualités et de leur âge, la connaissance particulière qu'il avait de sa vertu et de l'inclination qu'elle avait eue pour

a. I : « pour ceux qui oseraient avoir de l'amour pour elle ».
b. I : « ne douta point de la vérité de ses paroles ».

---

1. Le terme « galanterie » désigne ici une liaison amoureuse illicite. Il peut également se rencontrer dans la langue classique avec un sens positif, désignant « l'attache qu'on a à courtiser les femmes » (Furetière), et être alors associé à la courtoisie et aux valeurs de l'« honnêteté » (modèle de sociabilité lié au savoir-vivre et au mérite).
2. Se laisser emporter par un sentiment.

le duc de Guise, et surtout ce qu'il devait à l'amitié et à la confiance du prince son mari.

Le comte pensa mourir à ses pieds de honte et de douleur. Elle tâcha de le consoler en l'assurant qu'elle ne se souviendrait jamais de ce qu'il lui venait de dire, qu'elle ne se persuaderait jamais une chose qui lui était si désavantageuse, et qu'elle ne le regarderait jamais que comme son meilleur ami.

Ces assurances consolèrent le comte, comme on se le peut imaginer. Il sentit les mépris des paroles de la princesse dans toute leur étendue et, le lendemain, la revoyant avec un visage aussi ouvert que de coutume sans que sa présence la troublât ni la fît rougir, son[a] affliction en redoubla de la moitié et le procédé[1] de la princesse ne la diminua pas. Elle vécut avec lui avec la même bonté qu'elle avait accoutumé ; elle lui reparla, quand l'occasion en fit naître le discours, de l'inclination qu'elle avait eue pour M. de Guise, et la renommée commençant alors à publier[2] les grandes qualités qui paraissaient en ce prince, elle lui avoua qu'elle en sentait de la joie, et qu'elle était bien aise de voir qu'il méritait les sentiments qu'elle avait eus pour lui.

Toutes ces marques de confiance qui avaient été si chères au comte lui devinrent insupportables. Il ne l'osait pourtant témoigner, quoiqu'il osât bien la faire souvenir quelquefois de ce qu'il avait eu la hardiesse de lui dire.

Après deux années d'absence, la paix étant faite[3], le prince de Montpensier revint trouver la princesse sa

a. I : « coutume, son ».

---

1. La manière d'agir, de se comporter.
2. Faire connaître.
3. Il s'agit de la paix de Longjumeau. La deuxième guerre de Religion ne dure que six mois mais s'étend sur deux années civiles (septembre 1567-mars 1568).

femme tout couvert de la gloire[1] qu'il avait acquise au siège de Paris et à la bataille de Saint-Denis[2]. Il fut surpris de voir la beauté de cette princesse dans une si grande perfection, et, par le sentiment d'une jalousie qui lui était naturelle, il en eut quelque chagrin[3][a], prévoyant bien qu'il ne serait pas seul à la trouver belle. Il eut beaucoup de joie de revoir le comte de Chabannes pour qui son amitié n'avait point diminué, et lui demanda confidemment des nouvelles de l'humeur et de l'esprit de sa femme, qui lui était quasi une personne inconnue par le peu de temps qu'il avait demeuré avec elle.

Le comte, avec une sincérité aussi exacte que s'il n'eût point été amoureux, dit au prince tout ce qu'il connaissait en cette princesse capable de la lui faire aimer, et avertit aussi Mme de Montpensier des choses qu'elle devait faire pour achever de gagner le cœur et l'estime de son mari. Enfin la passion du comte le portait si naturellement à ne songer qu'à ce qui pouvait augmenter le bonheur et la gloire de cette princesse qu'il oubliait sans peine les intérêts qu'ont les amants[4] à empêcher que les personnes qu'ils aiment ne soient dans une si parfaite intelligence avec leurs maris.

---

a. NAF : « il eut ». Nous corrigeons en suivant Ms. fr. et I.

---

1. Du prestige.

2. Les catholiques l'emportèrent le 10 novembre 1567 à la bataille de Saint-Denis. Mme de Lafayette prête ici au prince de Montpensier, comme dans les épisodes ultérieurs, de hauts faits militaires que les historiens du temps prêtent seulement à son père, qui, à Saint-Denis, commandait le flanc droit de l'armée royale.

3. Contrariété, irritation.

4. Le terme « amant », dans la langue classique, n'implique pas nécessairement que l'attirance soit réciproque, encore moins que les personnes entretiennent une relation sexuelle. Dans le cas de Chabannes, on pourrait parler de soupirant.

La paix ne fit que paraître [1]. La guerre recommença aussitôt par le dessein qu'eut le roi de faire arrêter à Noyers [2] le prince de Condé et l'amiral de Châtillon [3] où ils s'étaient retirés et, ce dessein ayant été découvert, on commença de nouveau les préparatifs de la guerre, et le prince de Montpensier fut contraint de quitter sa femme pour se rendre où son devoir l'appelait.

Chabannes le suivit à la cour, s'étant entièrement justifié auprès de la reine, à qui il ne resta aucun soupçon de sa fidélité [a]. Ce ne fut pas sans une douleur extrême qu'il quitta la princesse, qui de son côté demeura fort triste des périls où la guerre allait exposer son mari. Les chefs des huguenots s'étant retirés à La Rochelle [4], le Poitou et la Saintonge étant dans leur parti, la guerre s'y alluma fortement et le roi y rassembla toutes ses forces [5].

Le duc d'Anjou son frère, qui fut depuis Henri III [6], y acquit beaucoup de gloire par plusieurs belles actions, et

---

a. I : « la Reine ».

---

1. L'épisode suivant résume les sources historiques de Mme de Lafayette.

2. Ville de l'Yonne, en Bourgogne, près de Tonnerre.

3. Gaspard de Châtillon, sire de Coligny (1519-1572), fils de Gaspard de Coligny et de Louise de Montmorency, amiral de France. Il fut élevé dans la religion catholique, se rallia à la Réforme vers 1558 et fut avec Condé le principal chef militaire des protestants, ne cessant de rechercher la négociation. Il fut l'une des premières victimes de la Saint-Barthélemy (voir note 1, p. 70).

4. La ville de La Rochelle se donna aux huguenots en 1568 et fut leur refuge jusqu'en 1628.

5. La troisième guerre de Religion commença en septembre 1568.

6. Alexandre-Édouard (1551-1589), fils d'Henri II et de Catherine de Médicis, devint duc d'Anjou en 1566 et roi de France en 1574 sous le nom d'Henri III. Mme de Lafayette est redevable à l'historien italien Enrico Davila dans l'éloge qui suit (*Histoire des guerres civiles de France*, trad. J. Baudoin, P. Rocolet, 1644, t. I, livre IV, p. 229 et 241). En revanche, l'historiographe français Mézeray dénonce dans la nomination du duc d'Anjou comme général des armées une manœuvre de la reine-mère : elle se fiait à « son humeur maniable, dont elle croyait

entre autres par la bataille de Jarnac, où le prince de
Condé fut tué[1]. Ce fut dans cette guerre que le duc
de Guise commença à avoir des emplois[2] considérables
et à faire connaître qu'il passait[3] de beaucoup les
grandes espérances qu'on avait conçues de lui.

Le prince de Montpensier, qui le haïssait et comme
son ennemi particulier et comme celui de sa maison, ne
voyait qu'avec peine la gloire de ce duc, aussi bien que
l'amitié que lui témoignait le duc d'Anjou. Après que les
deux armées se furent fatiguées par beaucoup de petits
combats, d'un commun consentement[4] on licencia les
troupes pour quelque temps et le duc d'Anjou demeura
à Loches pour donner ordre à toutes les places[5] qui
eussent pu être attaquées.

Le duc de Guise y demeura avec lui, et le prince
de Montpensier, accompagné du comte de Chabannes,
s'en alla à Champigny, qui n'était pas fort éloigné de là.
Le duc d'Anjou allait souvent visiter les places qu'il faisait fortifier. Un jour qu'il revenait à Loches par un
chemin peu connu de ceux de sa suite, le duc de Guise,
qui se vantait de le savoir, se mit à la tête de la troupe
pour lui servir de guide ; mais, après avoir marché
quelque temps, il s'égara et se trouva sur le bord d'une
petite rivière qu'il ne reconnut pas lui-même. Toute la

être toujours la maîtresse » (*Histoire de France*, Paris, 1685, t. II,
p. 972).

1. La bataille de Jarnac fut livrée le 13 mars 1569. Condé, blessé,
allait se rendre lorsqu'il fut tué par Montesquiou, capitaine des gardes
du duc d'Anjou. Cet assassinat fut l'objet d'une forte réprobation.

2. Des commandements importants.

3. Il dépassait.

4. La trêve fut demandée par la reine pour faire face aux renforts
venus d'Allemagne soutenir les huguenots. Le séjour du duc d'Anjou à
Loches, situé à une cinquantaine de kilomètres de Champigny, est rapporté par les historiens.

5. Préparer la défense de tous les lieux.

troupe fit la guerre au duc de Guise [1] [a] de les avoir si mal conduits, et, étant arrêtés en ce lieu, aussi disposés à la joie qu'ont accoutumé de l'être de jeunes princes [2], ils aperçurent un petit bateau qui était arrêté au milieu de la rivière, et, comme elle n'était pas large, ils distinguèrent aisément dans ce bateau trois ou quatre femmes, et une entre autres qui leur parut fort belle, habillée magnifiquement, et qui regardait avec attention deux hommes qui pêchaient auprès d'elle. Cette aventure donna une nouvelle joie à ces jeunes princes et à tous ceux de leur suite : elle leur parut une chose de roman [3]. Les uns disaient au duc de Guise qu'il les avait égarés exprès pour leur faire voir cette belle personne, les autres qu'après ce qu'avait fait le hasard, il fallait qu'il en devînt amoureux, et le duc d'Anjou soutenait que c'était lui qui devait être son amant. Enfin, voulant pousser l'aventure au bout, ils firent avancer de leurs gens [4] à cheval le plus avant qu'il se put dans la rivière, pour crier à cette dame que c'était M. le duc d'Anjou qui eût bien voulu passer de l'autre côté de l'eau, et qu'il priait qu'on le vînt prendre. Cette dame, qui était Mme de Montpensier, entendant nommer le duc d'Anjou et ne doutant point à la quantité de gens qu'elle voyait au bord de l'eau que ce ne fût lui, fit avancer son bateau pour aller du côté où il était. Sa bonne mine [5] le lui fit bientôt distinguer des autres quoiqu'elle ne l'eût quasi jamais vu, mais elle distingua encore plus tôt le duc de Guise. Sa vue lui apporta un trouble qui la

---

a. I : « Le Duc d'Anjou lui fit la guerre ». La correction de la version imprimée montre plus de bienséance : seul le duc d'Anjou devrait en principe se moquer du duc de Guise.

---

1. Reprit avec raillerie le duc de Guise.
2. Les deux ducs ont alors dix-huit et dix-neuf ans.
3. Elle leur sembla tirée d'un roman.
4. Personnes attachées au service d'un noble de haut rang.
5. Son aspect extérieur avenant, sa prestance.

fit rougir et qui la fit paraître aux yeux de ces princes dans une beauté qu'ils crurent surnaturelle. Le duc de Guise la reconnut d'abord [1], malgré le changement avantageux qui s'était fait en elle depuis les trois années qu'il ne l'avait pas vue [2]. Il dit au duc d'Anjou qui elle était, qui fut honteux d'abord de la liberté qu'il avait prise, mais, voyant Mme de Montpensier si belle et cette aventure lui plaisant si fort, il se résolut de l'achever, et, après mille excuses et mille compliments, il inventa une affaire considérable qu'il disait avoir au-delà de la rivière, et accepta l'offre qu'elle lui fit de le passer [3] dans son bateau. Il y entra seul avec le duc de Guise, donnant ordre à tous ceux qui les suivaient d'aller passer la rivière à un autre endroit, et de les venir joindre à Champigny, que Mme de Montpensier leur dit qui n'était qu'à [4] deux lieues [5] de là. Sitôt qu'ils furent dans le bateau, le duc d'Anjou lui demanda à quoi ils devaient une si agréable rencontre et ce qu'elle faisait au milieu de la rivière. Elle lui apprit qu'étant partie de Champigny avec le prince son mari dans le dessein de le suivre à la chasse, elle s'était trouvée trop lasse et était venue sur le bord de la rivière où la curiosité d'aller voir prendre un saumon qui avait donné dans un filet l'avait fait entrer dans ce bateau.

M. de Guise ne se mêlait point dans la conversation, et sentant réveiller dans son cœur si vivement tout ce que cette princesse y avait autrefois fait naître, il pensait en lui-même qu'il pourrait demeurer aussi bien pris dans les liens de cette belle princesse que le saumon l'était dans

---

1. D'emblée, sur le champ.
2. La scène se passe au printemps 1569. L'héroïne a environ dix-neuf ans.
3. Le faire traverser.
4. Que Mme de Montpensier leur dit n'être qu'à.
5. Une lieue correspond à quatre kilomètres environ.

les filets du pêcheur[a]. Ils arrivèrent bientôt au bord, où ils trouvèrent les chevaux et les écuyers de Mme de Montpensier qui l'attendaient. Le duc d'Anjou lui aida à monter à cheval, où elle se tenait avec une grâce admirable, et ces deux princes ayant pris des chevaux de main[1] que conduisaient des pages de cette princesse, ils prirent le chemin de Champigny où elle les conduisait[b]. Ils ne furent pas moins surpris des charmes de son esprit qu'ils l'avaient été de sa beauté, et ne purent s'empêcher de lui faire connaître l'étonnement où ils étaient de[2] tous les deux.

Elle répondit à leurs louanges avec toute la modestie imaginable, mais un peu plus froidement à celles du duc de Guise, voulant garder une fierté qui l'empêchât de fonder aucune espérance sur l'inclination qu'elle avait eue pour lui.

En arrivant dans la première cour de Champigny, ils y trouvèrent le prince de Montpensier qui ne faisait que revenir de la chasse. Son étonnement fut grand de voir deux hommes marcher à côté de sa femme, mais il fut extrêmement surpris quand, s'approchant plus près, il reconnut que c'étaient le duc d'Anjou[3] et le duc de Guise. La haine qu'il avait pour le dernier se joignant à sa jalousie naturelle lui fit trouver quelque chose de si désagréable à voir ces deux princes avec sa femme sans

---

a. I : « en lui-même qu'il sortirait difficilement de cette aventure, sans rentrer dans ses liens ». La modification est importante et supprime l'image osée qui était présente dans la version initiale.

b. I : « grâce admirable. Pendant tout le chemin elle les entretint agréablement de diverses choses. »

---

1. Des chevaux que l'on mène par la main, qui se trouvent ainsi opportunément disponibles pour des cavaliers imprévus.

2. À propos de.

3. Mme de Lafayette invente cette scène : le duc d'Anjou ne se rendit pas à Champigny à cette date, mais en juillet 1573.

savoir comment ils s'y étaient trouvés ni ce qu'ils venaient faire chez lui, qu'il ne put cacher le chagrin qu'il en avait ; mais il en rejeta la cause sur la crainte de ne pouvoir recevoir un si grand prince selon sa qualité et comme il l'eût souhaité.

Le comte de Chabannes avait encore plus de chagrin de voir M. de Guise auprès de Mme de Montpensier que M. de Montpensier n'en avait lui-même. Ce que le hasard avait fait pour rassembler ces deux personnes lui semblait de si mauvais augure qu'il pronostiquait aisément que ce commencement de roman ne serait pas sans suite. Mme de Montpensier fit les honneurs de chez elle avec le même agrément qu'elle faisait toutes choses.

Enfin elle ne plut que trop à ses hôtes. Le duc d'Anjou, qui était fort galant [1] et fort bien fait, ne put voir une fortune [2] si digne de lui sans la souhaiter ardemment. Il fut touché du même mal que M. de Guise et feignant toujours des affaires extraordinaires, il demeura deux jours à Champigny sans être obligé d'y demeurer que par les charmes de Mme de Montpensier, le prince son mari ne faisant point de violence pour l'y retenir. Le duc de Guise ne partit pas sans faire entendre [3] à Mme de Montpensier qu'il était pour elle ce qu'il était autrefois et, comme sa passion n'avait été sue de personne, il lui dit plusieurs fois, devant tout le monde sans être entendu que d'elle, que son cœur n'avait point changé, et partit avec le duc d'Anjou. Ils sortirent de Champigny l'un et l'autre avec beaucoup de regret, et marchèrent longtemps avec un profond silence. Enfin, le duc d'Anjou s'imaginant tout d'un coup que ce qui causait sa rêverie [4] pouvait bien causer celle du duc

---

1. « Galant » signifie ici « qui a l'air de la cour, les manières agréables » (Furetière).
2. Bonne fortune, possibilité d'une aventure amoureuse.
3. Comprendre.
4. Distraction.

de Guise, il lui demanda brusquement s'il pensait aux beautés de la princesse de Montpensier.

Cette demande si brusque, jointe à ce qu'avait déjà remarqué le duc de Guise des sentiments du duc d'Anjou, lui fit voir qu'il serait infailliblement son rival, et qu'il lui était très important de ne pas découvrir [1] son amour à ce prince. Pour lui en ôter tout soupçon, il lui répondit en riant qu'il paraissait si occupé lui-même de la rêverie dont il l'accusait qu'il n'avait pas jugé à propos de l'interrompre ; que les beautés de la princesse de Montpensier n'étaient pas nouvelles pour lui ; qu'il s'était accoutumé à en supporter l'éclat du temps qu'elle était destinée à être sa belle-sœur, mais qu'il voyait bien que tout le monde n'en était pas si peu ébloui [2] que lui. Le duc d'Anjou lui avoua qu'il n'avait rien vu qui lui parût comparable à la princesse de Montpensier et qu'il sentait bien que sa vue pourrait lui être dangereuse s'il y était souvent exposé. Il voulut faire convenir le duc de Guise qu'il sentait la même chose, mais ce duc, qui commençait à se faire une affaire sérieuse de son amour, n'en voulut rien avouer.

Ces princes s'en retournèrent à Loches, faisant souvent leur agréable conversation de l'aventure qui leur avait découvert la princesse de Montpensier. Ce ne fut pas un sujet de si grand divertissement à Champigny. Le prince de Montpensier était mal content de tout ce qui était arrivé sans qu'il en pût dire le sujet. Il trouvait mauvais que sa femme se fût trouvée dans ce bateau ; il lui semblait qu'elle avait reçu trop agréablement ces princes. Et ce qui lui déplaisait le plus était d'avoir remarqué que le duc de Guise l'avait regardée attentivement. Il en conçut

---

1. Révéler.
2. Ici, la litote permet de dire le contraire de ce qui semble l'être : tout le monde est très ébloui par la beauté de la princesse, plus que ne l'est le duc de Guise.

dès ce moment une jalousie si furieuse qu'elle le fit ressouvenir de l'emportement qu'il avait témoigné lors de son mariage, et il eut soupçon que, dès ce temps-là, il en était amoureux.

Le chagrin que tous ses soupçons lui causèrent donna de mauvaises heures à la princesse de Montpensier. Le comte de Chabannes, selon sa coutume, prit soin d'empêcher qu'ils ne se brouillassent tout à fait afin de persuader par là à la princesse combien la passion qu'il avait pour elle était sincère et désintéressée. Il ne put s'empêcher de lui demander l'effet qu'avait produit en elle la vue du duc de Guise. Elle lui apprit qu'elle en avait été troublée, par la honte du souvenir de l'inclination qu'elle lui avait autrefois témoignée ; qu'elle l'avait trouvé beaucoup mieux fait qu'il n'était en ce temps-là, et que même il lui avait paru qu'il voulait lui persuader qu'il l'aimait encore, mais elle l'assura en même temps que rien ne pouvait ébranler la résolution qu'elle avait prise de ne s'engager jamais.

Le comte de Chabannes fut très aise de ce qu'elle lui disait, quoique rien ne le pût rassurer sur le duc de Guise. Il témoigna à la princesse qu'il appréhendait pour elle que les premières impressions ne revinssent quelque jour, et il lui fit comprendre la mortelle douleur qu'il aurait pour son intérêt d'elle et le sien propre [1] de la voir changer de sentiment. La princesse de Montpensier, continuant toujours son procédé avec lui, ne répondait presque pas à ce qu'il lui disait de sa passion et ne considérait toujours en lui que la qualité du meilleur ami du monde, sans lui vouloir faire l'honneur de prendre garde à celle d'amant.

Les armées étant remises sur pied, tous les princes y retournèrent, et le prince de Montpensier trouva bon que sa femme s'en vînt à Paris pour n'être plus si proche des

---

1. Et pour son propre intérêt.

lieux où se faisait la guerre. Les huguenots assiégèrent Poitiers[1]. Le duc de Guise s'y jeta pour la défendre et y fit des actions qui suffiraient seules pour rendre glorieuse une autre vie que la sienne.

Ensuite la bataille de Moncontour se donna et le duc d'Anjou, après avoir pris Saint-Jean-d'Angély[2], tomba malade et fut contraint de quitter l'armée soit par la violence de son mal ou par l'envie qu'il avait de revenir goûter le repos et les douceurs de Paris, où la présence de la princesse de Montpensier n'était pas la moindre qui l'y attirât[3][a]. L'armée demeura sous le commandement du prince de Montpensier[4] et, peu de temps après, la paix étant faite[5], toute la cour se trouva à Paris. La beauté de la princesse de Montpensier effaça toutes celles qu'on avait admirées jusques alors ; elle attira les yeux de tout le monde par les charmes de son esprit et de sa personne. Le duc d'Anjou ne changea pas en la revoyant les sentiments qu'il avait conçus pour elle à Champigny, et prit un soin extrême de les lui faire connaître par toutes sortes de soins et de galanteries, se ménageant toutefois à ne lui en pas donner des témoignages trop éclatants, de peur de donner de la jalousie au prince son mari. Le duc de Guise acheva d'en devenir violemment

a. NAF : « la moindre raison qui lui attirât ». Nous corrigeons pour moderniser.

---

1. Le siège de Poitiers par les protestants commença le 22 juillet 1569 ; le duc de Guise les amena à lâcher prise le 7 septembre.

2. La bataille de Moncontour fut livrée le 3 octobre 1569, le siège de Saint-Jean-d'Angély commença en octobre et la ville fut prise par les troupes du duc d'Anjou le 2 décembre 1569.

3. La moindre raison qui l'attirât.

4. À un moment où cette armée était affaiblie et où le roi négociait la paix.

5. Il s'agit de la paix de Saint-Germain, signée le 8 août 1570. Elle accordait l'amnistie aux protestants et l'exercice du culte dans deux villes par province.

amoureux et, voulant par plusieurs raisons tenir sa passion cachée, il se résolut de la déclarer d'abord à la princesse de Montpensier, pour s'épargner tous ces commencements qui font toujours naître le bruit et l'éclat. Étant un jour chez la reine à une heure où il y avait très peu de monde, et la reine étant retirée dans son cabinet [1] pour parler au cardinal de Lorraine, la princesse arriva.

Ce duc se résolut de prendre ce moment pour lui parler, et, s'approchant d'elle : « Je vais vous surprendre, madame, lui dit-il, et vous déplaire en vous apprenant que j'ai toujours conservé cette passion qui vous a été connue autrefois, et qu'elle s'est si fort augmentée en vous revoyant que votre sévérité, la haine de M. de Montpensier pour moi et la concurrence du premier prince du royaume ne sauraient lui ôter un moment de sa violence. Il aurait été plus respectueux de vous la faire connaître par mes actions que par mes paroles, mais, madame, mes actions l'auraient apprise à d'autres aussi bien qu'à vous, et je veux que vous sachiez seule que je suis assez hardi pour vous adorer. » La princesse fut d'abord si surprise et si troublée de ce discours qu'elle ne songea pas à l'interrompre, mais ensuite, étant revenue à elle et commençant à lui répondre, le prince de Montpensier entra. Le trouble et l'agitation étaient peints sur le visage de la princesse sa femme. La vue de son mari acheva de l'embarrasser, de sorte qu'elle lui en laissa plus entendre que le duc de Guise ne lui en venait de dire.

La reine sortit de son cabinet, et le duc se retira pour guérir la jalousie de ce prince. La princesse de Montpensier trouva le soir dans l'esprit de son mari tout le chagrin [2] à quoi elle s'était attendue. Il s'emporta avec des violences épouvantables, et lui défendit de parler jamais au duc

---

1. Petite pièce où on se retire pour lire, écrire ou méditer.
2. Fort mécontentement.

de Guise. Elle se retira bien triste dans son appartement, et bien occupée des aventures qui lui étaient arrivées ce jour-là. Le jour suivant, elle revit le duc de Guise chez la reine, mais il ne l'aborda pas, et se contenta de sortir un peu après elle, pour lui faire voir qu'il n'y avait que faire quand elle n'y était pas et il ne se passait point de jour qu'elle ne reçût mille marques cachées de la passion de ce duc, sans qu'il essayât de lui parler que lorsqu'il ne pouvait être vu de personne. Malgré toutes ces belles résolutions qu'elle avait faites à Champigny, elle commença à être persuadée de sa passion, et à sentir dans le fond de son cœur quelque chose de ce qui avait été autrefois. Le duc d'Anjou de son côté, qui n'oubliait rien pour lui témoigner sa passion en tous les lieux où il la pouvait voir, et qui la suivait continuellement chez la reine sa mère et la princesse sa sœur, en était traité[a] avec une rigueur étrange et capable de guérir toute autre passion que la sienne.

On découvrit en ce temps-là que Madame[1], qui fut depuis reine de Navarre, avait quelque attachement[2] pour le duc de Guise, et ce qui le fit éclater[3] davantage,

a. Les deux copies manuscrites portent « traitée », et la version de 1662 supplée au déficit de sens en ajoutant « de qui il était aimé » : « Le duc d'Anjou, de son côté, n'oubliait rien pour lui témoigner son amour en tous lieux où il la pouvait voir, et la suivait continuellement chez la Reine sa Mère. La Princesse sa sœur, *de qui il était aimé*, en était traitée avec une rigueur capable de guérir toute autre passion que la sienne. » C'est la « faute épouvantable » que Mme de Lafayette reproche à Ménage dans une lettre d'août ou septembre 1662 et que les éditions ultérieures ne corrigent cependant pas : le participe fautif, assorti de l'addition, pouvait passer pour une allusion aux rumeurs sur la passion incestueuse de Marguerite de Valois pour son frère Charles IX.

1. Marguerite de Valois (1553-1615), fille d'Henri II et de Catherine de Médicis, dite la « reine Margot » et réputée pour sa grande beauté. « Madame » est le titre donné aux sœurs ou belles-sœurs des rois de France.

2. Engagement, liaison.

3. Le mit au grand jour.

ce fut le refroidissement qui parut du duc d'Anjou pour le duc de Guise. La princesse de Montpensier apprit cette nouvelle, qui ne lui fut pas indifférente, et qui lui fit sentir qu'elle prenait plus d'intérêt au duc de Guise qu'elle ne pensait. M. de Montpensier son beau-père épousant alors Mlle de Guise, sœur de ce duc, elle était contrainte de le voir souvent dans les lieux où les cérémonies des noces les appelaient l'un et l'autre [1]. La princesse de Montpensier, ne pouvant souffrir [2] qu'un homme que toute la France croyait amoureux de Madame osât lui dire qu'il l'était d'elle, et se sentant offensée et quasi affligée de s'être trompée elle-même, un jour que le duc de Guise la rencontra chez sa sœur un peu éloignée des autres et qu'il lui voulut parler de sa passion, elle l'interrompit brusquement et lui dit d'un ton qui marquait sa colère : « Je ne comprends pas qu'il faille, sur le fondement d'une faiblesse dont on a été capable [3] à treize ans, avoir l'audace de faire l'amoureux d'une personne comme moi, et surtout quand on l'est d'une autre au su de toute la cour. »

Le duc de Guise, qui avait beaucoup d'esprit et qui était fort amoureux, n'eut besoin de consulter personne pour entendre tout ce que signifiaient les paroles de la princesse, il lui répondit avec beaucoup de respect : « J'avoue madame, que j'ai eu tort de ne pas mépriser l'honneur d'être beau-frère de mon roi plutôt que de vous laisser soupçonner un moment que je pourrais désirer un autre cœur que le vôtre ; mais si vous voulez me faire la grâce de m'écouter, je suis assuré de me justifier

---

1. Louis III de Bourbon (1513-1582), duc de Montpensier, épousa en secondes noces Catherine de Lorraine (1552-1596), fille de François de Lorraine, sœur du duc de Guise, le 4 février 1570. L'alliance, destinée à rapprocher les deux familles, n'eut pas l'effet escompté.

2. Tolérer.

3. Une faiblesse à laquelle on a cédé.

auprès de vous. » La princesse de Montpensier ne répondit point, mais elle ne s'éloigna pas, et le duc de Guise, voyant qu'elle lui donnait l'audience qu'il souhaitait, lui apprit que, sans s'être attiré les bonnes grâces de Madame par aucun soin, elle l'en avait honoré ; que, n'ayant nulle passion pour elle, il avait très mal répondu à l'honneur qu'elle lui faisait jusques à ce qu'elle lui eût donné quelque espérance de l'épouser ; qu'à la vérité, la grandeur où ce mariage pouvait l'élever l'avait obligé de lui rendre plus de devoirs et que c'était ce qui avait donné lieu au soupçon qu'avaient eu le roi et le duc d'Anjou ; que la disgrâce de l'un ni de l'autre ne le dissuadait pas de son dessein, mais que, s'il lui déplaisait, il l'abandonnait dès l'heure même pour n'y penser de sa vie.

Le sacrifice que le duc de Guise faisait à la princesse lui fit oublier toute la rigueur et toute la colère avec laquelle elle avait commencé à lui parler. Elle commença à raisonner avec lui de la faiblesse qu'avait eue Madame de l'aimer la première, de l'avantage considérable qu'il recevrait en l'épousant. Enfin, sans rien dire d'obligeant au duc de Guise, elle lui fit revoir mille choses agréables qu'il avait trouvées autrefois en Mlle de Mézières. Quoiqu'ils ne se fussent point parlé depuis si longtemps, ils se trouvèrent pourtant accoutumés ensemble et leurs cœurs se remirent aisément dans un chemin qui ne leur était pas inconnu. Ils finirent enfin cette conversation, qui laissa une sensible joie [1] dans l'esprit du duc de Guise. La princesse n'en eut pas une petite de connaître qu'il l'aimait véritablement, mais, quand elle fut dans son cabinet, quelles réflexions ne fit-elle point sur la honte de s'être laissée fléchir si aisément aux excuses du duc de Guise, sur l'embarras où elle s'allait plonger en s'engageant dans une chose qu'elle avait regardée avec tant d'horreur, et sur les effroyables malheurs où la jalousie de son mari la pouvait

---

1. Une joie fortement ressentie.

jeter ! Ces pensées lui firent faire de nouvelles résolutions, qui se dissipèrent dès le lendemain par la vue du duc de Guise. Il ne manquait point de lui rendre un compte exact de ce qui se passait entre Madame et lui, et la nouvelle alliance de leurs maisons leur donnait plusieurs occasions de se parler. Mais il n'avait pas peu de peine à la guérir de la jalousie que lui donnait la beauté de Madame, contre laquelle il n'y avait point de serment qui la pût rassurer, et cette jalousie lui servait à défendre plus opiniâtrement le reste de son cœur contre les soins du duc de Guise, qui en avait déjà gagné la plus grande partie.

Le mariage du roi avec la fille de l'empereur Maximilien remplit la cour de fêtes et de réjouissances [1]. Le roi fit un ballet où dansaient Madame et toutes les princesses. La princesse de Montpensier pouvait seule lui disputer le prix de la beauté. Le duc d'Anjou dansait une entrée [2] de Maures [3] et le duc de Guise, avec quatre autres, était de son entrée : leurs habits étaient tous pareils, comme ont accoutumé de l'être les habits de ceux qui dansent une même entrée.

La première fois que le ballet se dansa, le duc de Guise, devant que de [4] danser et n'ayant pas encore son masque, dit quelques mots en passant à la princesse de Montpensier. Elle s'aperçut bien que le prince son mari y avait pris garde, ce qui la mit en inquiétude, et, toute troublée, quelque temps

---

1. Charles IX épousa en 1570 Élisabeth d'Autriche (1554-1592), fille de l'empereur Maximilien II et de Marie d'Autriche. Le contrat avait été signé en janvier, le mariage eut lieu par procuration en octobre et fut célébré en novembre. Des fêtes furent données de janvier à octobre à cette occasion.

2. Scène de ballet.

3. À l'époque, les ballets venaient d'être introduits à la cour de France. Mais Mme de Lafayette commet un anachronisme : la mode des ballets mauresques, venue de l'*Histoire des guerres civiles de Grenade*, de Pérez de Hita (trad. 1608), est largement postérieure au règne de Charles IX.

4. Avant de.

après, voyant le duc d'Anjou avec son masque et son habit de Maure qui venait pour lui parler, elle crut que c'était encore le duc de Guise et, s'approchant de lui : « N'ayez des yeux ce soir que pour Madame, lui dit-elle ; je n'en serai point jalouse ; je vous l'ordonne, on m'observe, ne m'approchez plus. » Elle se retira sitôt qu'elle eut achevé ces paroles et le duc d'Anjou en demeura accablé comme d'un coup de tonnerre. Il vit dans ce moment qu'il avait un rival aimé. Il comprit par le nom de Madame que ce rival était le duc de Guise, et il ne put douter que la princesse sa sœur ne fût le sacrifice qui avait rendu la princesse de Montpensier favorable aux vœux [a] de son rival. La jalousie, le dépit et la rage se joignant à la haine qu'il avait déjà pour lui firent dans son âme tout ce qu'on peut imaginer de plus violent, et il eût donné sur l'heure quelque marque sanglante de son désespoir si la dissimulation qui lui était naturelle ne fût venue à son secours, et ne l'eût obligé, par des raisons puissantes, en l'état qu'étaient les choses, à ne rien entreprendre contre le duc de Guise. Il ne put toutefois se refuser le plaisir de lui apprendre qu'il savait les secrets de son amour et, l'abordant en sortant de la salle où l'on avait dansé : « C'est trop, lui dit-il, d'oser lever les yeux jusqu'à ma sœur et de m'ôter ma maîtresse [1]. La considération du roi m'empêche d'éclater, mais souvenez-vous que la perte de votre vie sera peut-être la moindre chose dont je punirai quelque jour votre témérité. »

La fierté du duc de Guise n'était pas accoutumée à de telles menaces. Il ne put néanmoins y répondre parce que le roi, qui sortait en ce moment, les appela tous deux. Mais elles gravèrent dans son cœur un désir de vengeance qu'il travailla toute sa vie à satisfaire [2]. Dès le même soir

a. Ms. fr. : yeux.

1. Le mot « maîtresse » désigne la femme aimée, mais n'implique pas nécessairement un attachement réciproque, ni des relations sexuelles.
2. Cette allusion fait de l'épisode fictif conté ici une cause secrète de la constitution de la Ligue en 1576, dont Henri de Guise prit la tête

le duc d'Anjou lui rendit toutes sortes de mauvais offices auprès du roi. Il lui persuada que jamais Madame ne consentirait à son mariage que l'on proposait alors avec le roi de Navarre[1], tant que l'on souffrirait que le duc de Guise l'approchât, et qu'il était honteux que ce duc, pour satisfaire sa vanité, apportât de l'obstacle à une chose qui devait donner la paix à la France.

Le roi avait déjà assez d'aigreur contre le duc de Guise et ce discours l'augmenta si fort que le lendemain, le roi voyant ce duc qui se présentait pour entrer au bal chez la reine, paré d'un nombre infini de pierreries mais plus paré encore de sa bonne mine, il se mit à l'entrée de la porte, et lui demanda brusquement où il allait. Le duc sans s'étonner[2] lui dit qu'il venait pour lui rendre ses très humbles services, à quoi le roi répliqua qu'il n'avait pas besoin de ceux qu'il lui rendait et se tourna sans le regarder[3]. Le duc de Guise ne laissa pas d'entrer dans la salle, outré dans le cœur et contre le roi et contre le duc d'Anjou. Mais sa douleur augmenta sa fierté naturelle ; et par une marque de dépit, il s'approcha beaucoup plus de Madame qu'il n'avait accoutumé, joint que[4] ce que lui avait dit le duc d'Anjou de la princesse de Montpensier l'empêchait de jeter les yeux sur elle. Le duc d'Anjou les observait soigneusement l'un et l'autre et les yeux de cette princesse laissaient voir malgré elle quelque chagrin lorsque le duc de Guise parlait à Madame. Le duc d'Anjou, qui avait compris par ce qu'elle lui avait dit en le prenant pour le duc qu'elle en avait de la jalousie, espéra de les brouiller, et, se mettant auprès d'elle :

pour s'opposer à la politique du roi Henri III. Ce dernier le fit assassiner lors des états généraux de Blois, en 1588.

1. Le projet de mariage entre Marguerite de France et Henri de Bourbon fut plus tardif. La liaison de la princesse et du duc de Guise fit en réalité obstacle à un projet de mariage avec le roi du Portugal.

2. Sans se troubler.

3. Cette scène est empruntée à Davila (voir Dossier, p. 84-86).

4. Outre que.

« C'est pour votre intérêt plutôt que pour le mien, madame, lui dit-il, que je m'en vais vous apprendre que le duc de Guise ne mérite pas que vous l'ayez choisi à mon préjudice. Ne m'interrompez point, je vous prie, pour me dire le contraire d'une vérité que je ne sais que trop. Il vous trompe, madame, et vous sacrifie à ma sœur comme il vous la sacrifie. C'est un homme qui n'est capable que d'ambition, mais puisqu'il a eu le bonheur de vous plaire, c'est assez ; je ne m'opposerai point à une fortune que je méritais sans doute mieux que lui, mais je m'en rendrais indigne si je m'opiniâtrais davantage à la conquête d'un cœur qu'un autre possède. C'est trop de n'avoir pu attirer que votre indifférence : je ne veux pas y faire succéder la haine en vous importunant plus longtemps de la plus fidèle passion qui fut jamais. » Le duc d'Anjou, qui était effectivement touché d'amour et de douleur, put à peine achever ces paroles, et, quoiqu'il eût commencé son discours dans un esprit de dépit et de vengeance, il s'attendrit en considérant la beauté de cette princesse et la perte qu'il faisait en perdant l'espérance d'en être aimé. De sorte que, sans attendre sa réponse, il sortit du bal, feignant de se trouver mal, et s'en alla chez lui rêver à [1] son malheur.

La princesse de Montpensier demeura affligée et troublée, comme on se le peut imaginer ; de voir sa réputation et le secret de sa vie entre les mains d'un prince qu'elle avait maltraité et d'apprendre par lui, sans pouvoir en douter, qu'elle était trompée par son amant, étaient des choses peu capables de lui laisser la liberté d'esprit que demandait un lieu destiné à la joie[a]. Il fallut pourtant y

---

a. I : « La Princesse de Montpensier demeura affligée et troublée, comme on se le peut imaginer. Voir sa réputation et le secret de sa vie entre les mains d'un Prince qu'elle avait maltraité et apprendre par lui, sans pouvoir en douter, qu'elle était trompée par son Amant étaient des choses peu capables de lui laisser la liberté d'esprit que demandait un lieu destiné à la joie. »

---

1. Méditer sur.

demeurer, et aller souper ensuite chez la duchesse de Montpensier sa belle-mère, qui la mena avec elle. Le duc de Guise, qui mourait d'impatience de lui conter ce que lui avait dit le duc d'Anjou le jour précédent, la suivit chez sa sœur. Mais quel fut son étonnement [1] lorsque, voulant parler à cette belle princesse, il trouva qu'elle n'ouvrit la bouche que pour lui faire des reproches épouvantables, que le dépit lui faisait faire si confusément qu'il n'y pouvait rien comprendre, sinon qu'elle l'accusait d'infidélité et de trahison ! Désespéré de trouver une si grande augmentation de douleur où [2] il avait espéré de se consoler de toutes les siennes, et aimant cette princesse avec une passion qui ne pouvait plus le laisser vivre dans l'incertitude d'en être aimé, il se détermina tout d'un coup. « Vous serez satisfaite, madame, lui dit-il. Je m'en vais faire pour vous ce que toute la puissance royale n'aurait pu obtenir de moi. Il m'en coûtera ma fortune, mais c'est peu de chose pour vous satisfaire. » Et sans demeurer davantage chez la duchesse sa sœur, il s'en alla trouver à l'heure même les cardinaux ses oncles [3] et, sur le prétexte du mauvais traitement qu'il avait reçu du roi, il leur fit voir une si grande nécessité pour sa fortune à ôter la pensée qu'on avait qu'il prétendait à épouser Madame, qu'il les obligea à conclure son mariage avec la princesse de Portien, dont on avait déjà parlé, ce qui fut conclu et publié dès le lendemain [4][a].

---

a. I : « parlé. La nouvelle de ce mariage fut aussitôt sue par tout Paris. » L'imprimé amplifie la version initiale.

---

1. Sa stupeur.

2. Là où.

3. Il s'agit de Louis, dit le cardinal de Guise, et Charles, dit le cardinal de Lorraine. Voir notes 2, p. 40, et 1, p. 41.

4. Catherine de Clèves (1548-1633), fille de François de Clèves, duc de Nevers, et de Marguerite de Bourbon-Vendôme, avait épousé en premières noces Antoine de Croÿ, prince de Portien. Après la mort de celui-ci, elle épousa le duc de Guise, en octobre 1570. Selon les historiens, ce mariage fut précipité parce que Guise eut peur de déplaire au roi.

Tout le monde fut surpris de ce mariage, et la princesse de Montpensier en fut touchée de joie et de douleur. Elle fut bien aise de voir par là le pouvoir qu'elle avait sur le duc de Guise, et elle fut fâchée en même temps de lui avoir fait abandonner une chose aussi avantageuse que le mariage de Madame.

Le duc de Guise, qui voulait que l'amour le récompensât de [1] ce qu'il perdait du côté de la fortune, pressa la princesse de lui donner une audience particulière, pour s'éclairer des reproches [2] injustes qu'elle lui avait faits. Il obtint qu'elle se trouverait chez la duchesse de Montpensier sa sœur à une heure que la duchesse n'y serait pas, et qu'il s'y rencontrerait [3]. Cela fut exécuté comme il avait été résolu. Le duc de Guise eut la joie de se pouvoir jeter à ses pieds, de lui parler en liberté de sa passion, et de lui dire ce qu'il avait souffert de ses soupçons. La princesse ne pouvait s'ôter de l'esprit ce que lui avait dit le duc d'Anjou, quoique le procédé du duc de Guise la dût absolument rassurer. Elle lui apprit le juste sujet qu'elle avait de croire qu'il l'avait trahie puisque le duc d'Anjou savait ce qu'il ne pouvait avoir appris que de lui. Le duc de Guise ne savait par où se défendre, et était aussi embarrassé que la princesse de Montpensier à deviner ce qui avait pu découvrir leur intelligence.

Enfin, dans la suite de leur conversation, cette princesse lui faisant voir qu'il avait eu tort de précipiter son mariage avec la princesse de Portien et d'abandonner celui de Madame, qui lui était si avantageux, elle lui dit qu'il pouvait bien juger qu'elle n'en eût eu aucune jalousie, puisque le jour du ballet, elle-même l'avait conjuré de n'avoir des yeux que pour Madame. Le duc de Guise

---

1. Que l'amour compensât.

2. Pour être éclairé sur les reproches.

3. À une heure où la duchesse ne serait pas là et où lui-même serait présent.

lui dit qu'elle avait eu intention de lui faire ce commandement, mais que sa bouche ne l'avait pas exécuté[a]. La
princesse lui soutint le contraire. Enfin, à force de disputer et d'approfondir, ils trouvèrent qu'il fallait qu'elle se
fût trompée dans la ressemblance des habits, et qu'elle-
même eût appris au duc d'Anjou ce qu'elle-même accusait le duc de Guise de lui avoir dit.

Le duc de Guise, qui était presque justifié dans son
esprit par son mariage, le fut entièrement par cette
conversation. Cette belle princesse ne put refuser son
cœur à un homme qui l'avait possédé autrefois et qui
venait de tout abandonner pour elle. Elle consentit donc
à recevoir ses vœux et lui permit de croire qu'elle n'était
pas insensible à sa passion[1].

L'arrivée de la duchesse de Montpensier sa belle-mère
finit cette conversation, et empêcha le duc de Guise de
lui faire voir les transports de sa joie. Peu après, la cour
s'en alla à Blois, où la princesse de Montpensier la suivit.
Le mariage de Madame avec le roi de Navarre y fut
conclu[2], et le duc de Guise, ne connaissant plus de grandeur ni de bonne fortune que celle d'être aimé de la princesse, vit avec joie la conclusion de ce mariage qui l'aurait
comblé de douleur dans un autre temps. Il ne pouvait si
bien cacher son amour que la jalousie du prince
de Montpensier n'en entrevît quelque chose, et, n'étant

a. I : « mais qu'assurément elle ne lui avait pas fait ».

---

1. Ici, c'est au moyen d'une litote que s'exprime l'amour de la princesse pour un homme qui n'est pas son mari. La figure de style permet
d'atténuer la passion, mais suggère également le fait que la princesse
ne s'avoue pas à elle-même son amour pour Guise, comme elle ne le
lui révèle pas explicitement.
2. La cour part pour Blois en août 1571, rentre à Paris en décembre
puis retourne à Blois en février 1572. Le traité de paix et le contrat de
mariage du roi de Navarre et de Madame, qui en est l'un des articles,
sont passés à Blois le 11 avril 1572. La cour regagne Paris en mai 1572.

plus maître de son inquiétude, il ordonna à la princesse sa femme de s'en aller à Champigny pour se guérir de ses soupçons [a].

Ce commandement lui fut bien rude, mais il fallut l'exécuter. Elle trouva moyen de dire adieu en particulier au duc de Guise, mais elle se trouva bien embarrassée à lui donner des moyens sûrs pour lui écrire. Enfin, après avoir bien cherché, elle jeta les yeux sur le comte de Chabannes, qu'elle comptait toujours pour son ami, sans considérer qu'il était son amant. Le duc de Guise, qui savait à quel point ce comte était ami du prince de Montpensier, fut épouvanté qu'elle le choisît pour son confident, mais elle lui répondit si bien de sa fidélité qu'elle le rassura, et ce duc se sépara d'elle avec toute la douleur que peut causer l'absence d'une personne que l'on aime passionnément. Le comte de Chabannes, qui avait toujours été malade chez lui pendant le séjour de la princesse de Montpensier à la cour, sachant qu'elle s'en allait à Champigny, la vint trouver sur le chemin pour s'y en aller avec elle. Il fut d'abord charmé de la joie que lui témoigna cette princesse de le voir, et plus encore de l'impatience qu'elle avait de le pouvoir entretenir [b]. Mais quel fut son étonnement et sa douleur quand il trouva que cette impatience n'allait qu'à lui conter qu'elle était passionnément aimée du duc de Guise et qu'elle ne l'aimait pas moins ! Sa douleur ne lui permit pas de répondre ; mais cette princesse, qui était pleine de sa passion et qui trouvait un soulagement extrême à lui en parler, ne prit pas garde à son silence, et se mit à lui conter jusques aux plus petites circonstances de son aventure et lui dit comme le duc de Guise et elle étaient

a. I : « à Champigny ».

b. I : « avec elle. Elle lui fit mille caresses et mille amitiés ; et lui témoigna une impatience extraordinaire de s'entretenir en particulier, dont il fut d'abord charmé. »

convenus de recevoir leurs lettres par son moyen [1]. Ce fut
le dernier coup [2] pour le comte de Chabannes de voir que
sa maîtresse voulait qu'il servît son rival, et qu'elle lui en
faisait la proposition comme d'une chose naturelle, sans
envisager le supplice où elle l'exposait [a]. Il était si absolument maître de lui-même qu'il lui cacha tous ses sentiments et lui témoigna seulement la surprise où il était de
voir en elle un si grand changement. Il espéra d'abord
que ce changement, qui lui ôtait toute espérance, lui ôte-
rait infailliblement son amour. Mais il trouva cette princesse si belle, et sa grâce naturelle si augmentée par celle
que lui avait donnée l'air de la cour, qu'il sentit qu'il
l'aimait plus que jamais. Toutes les confidences qu'elle
lui faisait sur la tendresse et sur la délicatesse de ses sentiments pour le duc de Guise lui faisaient voir le prix du
cœur de cette princesse et lui donnaient un violent désir
de le posséder. Comme sa passion était la plus extraordinaire du monde, elle produisit l'effet du monde le plus
extraordinaire, car elle le fit résoudre de porter à sa maîtresse les lettres de son rival.

L'absence du duc de Guise donnait un chagrin mortel
à la princesse de Montpensier, et, n'espérant de soulagement que par ses lettres, elle tourmentait incessamment
le comte de Chabannes pour savoir s'il n'en recevait
point, et se prenait quasi à lui de n'en pas avoir assez
tôt [3]. Enfin il en reçut par un gentilhomme exprès [4] et il
les lui apporta à l'heure même pour ne lui pas retarder
sa joie d'un moment.

---

a. I : « d'une chose qui lui devait être agréable ». L'imprimé supprime ce qui tient du commentaire.

---

1. Par son entremise.
2. Le coup ultime.
3. S'en prenait presque à lui de ne pas avoir de lettres assez tôt.
4. Chargé de cette mission précise.

La joie qu'elle eut de les recevoir fut extrême ; elle ne prit pas le soin de la lui cacher, et lui fit avaler à longs traits tout le poison imaginable en lui lisant ses lettres, et la réponse tendre et galante qu'elle y faisait. Il porta cette réponse au gentilhomme avec autant de fidélité qu'il avait fait la lettre [1], mais avec plus de douleur. Il se consola pourtant un peu dans la pensée que cette princesse ferait quelque réflexion sur ce qu'il faisait pour elle, et qu'elle lui en témoignerait de la reconnaissance, mais la trouvant tous les jours plus rude pour lui par le chagrin qu'elle avait d'ailleurs [2], il prit la liberté de la supplier de penser un peu à ce qu'elle lui faisait souffrir. La princesse, qui n'avait dans la tête que le duc de Guise et qui ne trouvait que lui digne de l'adorer, trouva si mauvais qu'un autre mortel osât encore penser à elle qu'elle maltraita bien plus le comte de Chabannes qu'elle n'avait fait la première fois qu'il lui avait parlé de son amour.

Ce comte, dont la passion et la patience étaient aux dernières épreuves, sortit en même temps d'auprès d'elle et de Champigny et s'en alla chez un de ses amis dans le voisinage, d'où il lui écrivit avec toute la rage que pouvait causer son procédé, mais néanmoins avec tout le respect qui était dû à sa qualité, et par sa lettre, il lui disait un éternel adieu.

La princesse commença à se repentir d'avoir si peu ménagé un homme sur qui elle avait tant de pouvoir, et ne pouvant se résoudre à le perdre à cause de l'amitié qu'elle avait pour lui et par l'intérêt de son amour pour le duc de Guise où il lui était nécessaire, elle lui manda qu'elle voulait absolument lui parler encore une fois et puis qu'elle le laisserait libre de faire ce qu'il voudrait. L'on est bien faible quand on est amoureux. Le comte

---

1. Avec autant de fidélité qu'il avait porté la lettre.
2. Par ailleurs.

revint, et en une heure la beauté de la princesse de Montpensier, son esprit et quelques paroles obligeantes le ren-
dirent plus soumis qu'il n'avait jamais été, et il lui donna
même des lettres du duc de Guise qu'il venait de recevoir.

Pendant ce temps, l'envie qu'on eut à la cour d'y faire
revenir les chefs du parti huguenot pour cet horrible dessein qu'on exécuta le jour de Saint-Barthélemy [1] fit que
le roi, pour les mieux tromper, éloigna de lui tous les
princes de la maison de Bourbon et tous ceux de la
maison de Guise. Le prince de Montpensier s'en revint à
Champigny pour achever d'accabler la princesse sa
femme par sa présence, et tous les princes de Guise s'en
allèrent à la campagne, chez le cardinal de Lorraine leur
oncle. L'amour et l'oisiveté mirent dans l'esprit du duc
de Guise un si violent désir de voir la princesse de Montpensier que, sans considérer ce qu'il hasardait pour elle
et pour lui, il feignit un voyage, et, laissant tout son
train [2] dans une petite ville, il prit avec lui ce seul gentilhomme qui avait déjà fait plusieurs voyages à Champigny
et s'y en alla en poste [3]. Comme il n'avait d'autre adresse
que celle du comte de Chabannes, il lui fit écrire un billet
par ce même gentilhomme, qui le priait de le venir trouver en un lieu qu'il lui marquait. Le comte de Chabannes,
croyant seulement que c'était pour recevoir des lettres du
duc de Guise, alla trouver le gentilhomme, mais il fut
étrangement surpris quand il vit le duc de Guise, et n'en

---

1. Le massacre de la Saint-Barthélemy, pendant lequel les catholiques tuèrent entre 8 000 et 30 000 protestants, fut perpétré le 24 août
1572 à Paris avant de s'étendre aux villes de province. Il est condamné
par la plupart des historiens, en particulier Mézeray.

2. Sa suite (les hommes et les chevaux qui l'accompagnent).

3. Par la voiture du courrier ordinaire. Ce moyen de transport était
destiné aux roturiers, un seigneur de haut rang voyageant habituelle-
ment dans sa voiture personnelle. Ici, le voyage d'un seigneur comme
Guise dans une voiture de poste pour passer inaperçu est éminemment romanesque.

fut pas moins affligé. Ce duc, occupé de son dessein, ne prit non plus garde à l'embarras du comte que la princesse de Montpensier avait fait à son silence lorsqu'elle lui avait conté son amour, et il se mit à lui exagérer sa passion [1] et à lui faire comprendre qu'il mourrait infailliblement s'il ne lui faisait obtenir de la princesse la permission de la voir.

Le comte de Chabannes lui répondit seulement qu'il dirait à cette princesse tout ce qu'il souhaitait, et qu'il viendrait lui en rendre réponse. Le comte de Chabannes reprit le chemin de Champigny, combattu de ses propres sentiments avec une violence qui lui ôtait quelquefois toute sorte de connaissance [2]. Souvent il résolvait de renvoyer le duc de Guise, sans le dire à la princesse de Montpensier. Mais la fidélité exacte qu'il lui avait promise changeait sa résolution. Il arriva à Champigny sans savoir ce qu'il devait faire, et, apprenant que le prince de Montpensier était à la chasse, il alla droit à l'appartement de la princesse qui, le voyant avec toutes les marques d'une violente agitation [a], fit retirer aussitôt ses femmes [3] pour savoir le sujet de ce trouble. Il lui dit, se modérant le plus qu'il lui fut possible, que le duc de Guise était à une lieue de Champigny, qui demandait à [b] la voir. La princesse fit un grand cri à cette nouvelle, et son embarras ne fut guère moindre que celui du comte. Son amour lui présenta d'abord la joie qu'elle aurait de voir un homme qu'elle aimait si tendrement. Mais quand elle pensa combien cette action était contraire à sa vertu et qu'elle ne pouvait voir son amant qu'en le faisant

a. I : « voyant troublé ».
b. I : « Champigny, et qu'il souhaitait passionnément de ».

---

1. Lui peindre sa passion avec excès.
2. Tout son discernement.
3. Les femmes qui l'entouraient, comme c'était l'usage pour une dame de qualité.

entrer la nuit chez elle à l'insu de son mari, elle se trouva dans une extrémité épouvantable. Le comte attendait sa réponse comme une chose qui allait décider de sa vie ou de sa mort, mais, jugeant de son incertitude par son silence, il prit la parole pour lui représenter tous les périls où elle s'exposerait par cette entrevue, et, voulant lui faire voir qu'il ne tenait pas ce discours pour ses intérêts, il lui dit : « Si, après tout ce que je viens de vous représenter, madame, votre passion est la plus forte, et que vous vouliez voir le duc de Guise, que ma considération ne vous en empêche point, si celle de votre intérêt ne le fait pas. Je ne veux point priver de sa satisfaction une personne que j'adore ou être cause qu'elle cherche des personnes moins fidèles que moi pour se la procurer.

« Oui, madame, si vous voulez, je vais quérir le duc de Guise dès ce soir, car il est trop périlleux de le laisser plus longtemps où il est, et je l'amènerai dans votre appartement. – Mais par où et comment ? interrompit la princesse. – Ah ! madame, s'écria le comte, c'en est fait, puisque vous ne délibérez plus que sur les moyens. Il viendra, madame, ce bienheureux ; je l'amènerai par le parc. Donnez ordre seulement à celle de vos femmes à qui vous vous fiez qu'elle baisse le petit pont-levis qui donne [1] de votre antichambre dans le parterre [2], précisément à minuit, et ne vous inquiétez pas du reste. »

En achevant ces paroles, le comte de Chabannes se leva, et, sans attendre d'autre consentement de la princesse de Montpensier, il remonta à cheval et vint trouver le duc de Guise, qui l'attendait avec une violente impatience. La princesse de Montpensier demeura si troublée qu'elle demeura quelque temps sans revenir à elle. Son premier mouvement [3] fut de faire rappeler le comte

---

1. Qui conduit.
2. Jardin composé de plates-bandes.
3. Sa première impulsion.

de Chabannes pour lui défendre d'amener le duc de Guise, mais elle n'en eut pas la force, et elle pensa que, sans le rappeler, elle n'avait qu'à ne point faire abaisser le pont. Elle crut qu'elle continuerait dans cette résolution, mais quand onze heures approchèrent [a], elle ne put résister à l'envie de voir un amant qu'elle croyait si digne d'elle, et instruisit une de ses femmes de tout ce qu'il fallait faire pour introduire le duc de Guise dans son appartement.

Cependant [1] ce duc et le comte de Chabannes approchaient de Champigny dans un état bien différent. Le duc abandonnait son âme à la joie et à tout ce que l'espérance inspire de plus agréable, et le comte s'abandonnait à un désespoir et à une rage qui le poussa mille fois à donner de son épée au travers du corps de son rival.

Enfin ils arrivèrent au parc de Champigny et laissèrent leurs chevaux à l'écuyer du duc de Guise et, passant par des brèches qui étaient aux murailles, ils vinrent dans le parterre. Le comte de Chabannes, au milieu de son désespoir, avait conservé quelque rayon d'espérance que la princesse de Montpensier aurait fait revenir sa raison et qu'elle se serait résolue à ne point recevoir le duc de Guise. Quand il vit ce petit pont abaissé, ce fut alors qu'il ne put douter de rien [2], et ce fut alors qu'il fut tout prêt à se porter aux dernières extrémités. Mais venant à penser que, s'il faisait du bruit, il serait ouï apparemment du prince de Montpensier, dont l'appartement donnait sur ce même parterre, et que tout ce désordre tomberait ensuite sur la princesse de Montpensier [b], sa rage se calma à l'heure même, et il acheva de conduire le duc

a. I : « résolution. Quand l'heure de l'assignation approcha ».
b. I : « sur la personne qu'il aimait le plus ».

---

1. Pendant ce temps.
2. Ne put douter de quoi que ce soit, n'eut plus aucun doute.

de Guise aux pieds de sa princesse. Il ne put se résoudre à être témoin de leur conversation quoique la princesse lui témoignât le souhaiter, et qu'il l'eût bien souhaité lui-même. Il se retira dans un petit passage qui regardait du côté de l'appartement du prince de Montpensier, ayant dans l'esprit les plus tristes pensées qui aient jamais occupé l'esprit d'un amant.

Cependant, quelque peu de bruit qu'ils eussent fait en passant sur le pont, le prince de Montpensier qui, par malheur, était éveillé dans ce moment, l'entendit, et fit lever un de ses valets pour voir ce que c'était. Le valet de chambre mit la tête à la fenêtre, et, au travers de l'obscurité de la nuit, il aperçut que le pont était abaissé, et en avertit son maître qui lui commanda en même temps d'aller dans le parc voir ce que ce pouvait être, et un moment après il se leva lui-même, étant inquiété de ce qu'il lui semblait avoir ouï marcher, et s'en vint droit à l'appartement de la princesse sa femme, où il savait que le pont venait répondre [1]. Dans le moment qu'il approchait de ce petit passage où était le comte de Chabannes, la princesse de Montpensier, qui avait quelque honte de se trouver seule avec le duc de Guise, pria plusieurs fois le comte d'entrer dans sa chambre ; il s'en excusa toujours, et comme elle l'en pressait davantage, possédé de rage et de fureur, il lui répondit si haut qu'il fut ouï du prince de Montpensier, mais si confusément qu'il entendit seulement la voix d'un homme, sans distinguer celle du comte. Une pareille aventure eût donné de l'emportement à un esprit plus tranquille et moins jaloux. Aussi mit-elle d'abord l'excès de la rage et de la fureur dans celui du prince, qui heurta aussitôt à la porte avec impétuosité et, criant pour se faire ouvrir, il donna la plus cruelle surprise qui ait jamais été à la princesse, au duc de Guise et au comte de Chabannes.

---

1. Aboutissait.

Ce dernier, entendant la voix du prince, vit d'abord qu'il était impossible de lui cacher qu'il n'y eût[a] quelqu'un dans la chambre de la princesse sa femme, et la grandeur de sa passion lui montrant en un moment que si le duc de Guise était trouvé, Mme de Montpensier aurait la douleur de le voir tuer à ses yeux et que la vie même de cette princesse ne serait pas en sûreté, il se résolut, par une générosité sans exemple, de s'exposer pour sauver une maîtresse ingrate et un rival aimé, et, pendant que le prince de Montpensier donnait mille coups à la porte, il vint au duc de Guise qui ne savait quelle résolution prendre, et le mit entre les mains de cette femme de Mme de Montpensier qui l'avait fait entrer pour le faire ressortir par le même pont, pendant qu'il s'exposerait à la fureur du prince.

À peine le duc était-il sorti par l'antichambre que le prince, ayant enfoncé la porte du passage, entra comme un homme possédé de fureur et qui cherchait des yeux sur qui la faire éclater. Mais quand il ne vit que le comte de Chabannes et qu'il le vit appuyé sur la table, avec un visage où la tristesse était peinte, et comme immobile, il demeura immobile lui-même et la surprise de trouver dans la chambre de sa femme l'homme qu'il aimait le mieux et qu'il aurait le moins cru y trouver le mit hors d'état de pouvoir parler.

La princesse était à demi évanouie sur des carreaux[1], et jamais peut-être la fortune n'a mis trois personnes en des états si violents[b].

Enfin le prince de Montpensier, qui ne croyait pas voir ce qu'il voyait et qui voulait éclaircir ce chaos[2] où il

a. NAF : « cacher qu'il n'eût vu. » Nous corrigeons d'après Ms. fr.
b. I : « pitoyables ».

---

1. Grands coussins carrés destinés à s'asseoir ou s'agenouiller.
2. Cette situation qui lui était incompréhensible.

venait de tomber, adressant la parole au comte d'un ton qui faisait voir que l'amitié combattait encore pour lui : « Que vois-je, lui dit-il, est-ce une illusion ou une vérité ? Est-il possible qu'un homme que j'ai aimé si chèrement choisisse ma femme entre toutes les femmes du monde pour la séduire ? Et vous, madame, dit-il à la princesse en se tournant de son côté, n'était-ce point assez de m'ôter votre cœur et mon honneur sans m'ôter le seul homme qui me pouvait consoler de ces malheurs ? Répondez-moi l'un ou l'autre, leur dit-il, et éclaircissez-moi d'une aventure que je ne puis croire telle qu'elle me paraît. » La princesse n'était pas capable de répondre, et le comte de Chabannes ouvrit plusieurs fois la bouche sans pouvoir parler. « Je suis criminel à votre égard, lui dit-il enfin, et indigne de l'amitié que vous avez eue pour moi, mais ce n'est de la manière que vous pouvez vous l'imaginer : je suis plus malheureux que vous, s'il se peut, et plus désespéré. Je ne saurais vous en dire davantage ; ma mort vous vengera, et si vous voulez me la donner tout à l'heure[1], vous me donnerez la seule chose qui peut m'être agréable. »

Ces paroles prononcées avec une douleur mortelle et avec un air qui marquait son innocence, au lieu d'éclaircir le prince de Montpensier, lui persuadaient encore plus qu'il y avait quelque mystère dans cette aventure qu'il ne pouvait démêler, et, son désespoir s'augmentant par cette incertitude : « Ôtez-moi la vie vous-même, lui dit-il, ou tirez-moi du désespoir où vous me mettez : c'est la moindre chose que vous devez à l'amitié que j'ai eue pour vous, et à la modération qu'elle me fait encore garder, puisque tout autre que moi aurait déjà vengé sur votre vie un affront dont je ne puis quasi douter[a]. – Les apparences sont bien fausses, interrompit le comte. – Ah !

a. I : « un affront si sensible ».

1. Tout de suite.

c'est trop, répliqua le prince de Montpensier, il faut que je me venge, et puis je m'éclaircirai à loisir. » Et disant ces paroles, il s'approcha du comte de Chabannes avec l'action [1] d'un homme emporté de rage, et la princesse, craignant un malheur, qui ne pouvait pourtant arriver, le prince son mari n'ayant point d'arme [a], se leva pour se mettre entre deux.

La faiblesse où elle était la fit succomber à cet effort et, en approchant de son mari, elle tomba évanouie à ses pieds. Le prince fut touché de la voir en cet état aussi bien que de la tranquillité où le comte était demeuré lorsqu'il s'était approché de lui et, ne pouvant plus soutenir la vue de ces deux personnes qui lui donnaient des mouvements [2] si opposés [b], il tourna la tête de l'autre côté, et se laissa tomber sur le lit de sa femme, accablé d'une douleur incroyable. Le comte de Chabannes, pénétré de repentir d'avoir abusé d'une amitié dont il recevait tant de marques, et ne trouvant pas qu'il pût jamais réparer ce qu'il venait de faire, sortit brusquement de la chambre et, passant par l'appartement du prince dont il trouva les portes ouvertes, descendit dans la cour, se fit donner des chevaux, et s'en alla dans la campagne, guidé par son seul désespoir. Cependant le prince, qui voyait que la princesse ne revenait point de son évanouissement, la laissa entre les mains de ses femmes, et se retira dans sa chambre avec une douleur mortelle.

Le duc de Guise, qui était sorti heureusement [3] du parc, sans savoir quasi ce qu'il faisait tant il était troublé, s'éloigna de Champigny de quelques lieues, mais il ne

a. I et Ms. fr. : « épée ».
b. I : « tristes ».

---

1. La mine, l'aspect.
2. Qui provoquaient en lui des sentiments.
3. Sorti grâce à un hasard favorable.

put s'éloigner davantage sans savoir des nouvelles de la princesse. Il s'arrêta dans une forêt et envoya son écuyer pour apprendre du comte de Chabannes ce qui était arrivé de cette terrible aventure.

L'écuyer ne trouva point le comte de Chabannes, et il sut seulement qu'on disait que la princesse était extrêmement malade. L'inquiétude du duc de Guise ne fut qu'augmentée par ce qu'il apprit de son écuyer ; mais, sans la pouvoir soulager, il fut contraint d'aller retrouver ses oncles, pour ne pas donner du soupçon par un plus long voyage.

L'écuyer du duc de Guise lui avait rapporté la vérité en lui disant que Mme de Montpensier était extrêmement malade. Car il était vrai que, sitôt que ses femmes l'eurent mise dans son lit, la fièvre lui prit si violente [1] et avec des rêveries [2] si horribles que dès le second jour l'on craignit pour sa vie. Le prince son mari feignit d'être malade pour empêcher qu'on ne s'étonnât de ce qu'il n'entrait point dans sa chambre.

L'ordre qu'il reçut de s'en retourner à la cour, où l'on rappelait tous les princes catholiques pour exterminer les huguenots, le tira de l'embarras où il était, et il s'en alla à Paris, ne sachant ce qu'il avait à souhaiter ou à craindre du mal de la princesse sa femme. Il n'y fut pas sitôt arrivé qu'on commença d'attaquer les huguenots en la personne d'un de leurs chefs, l'amiral de Châtillon [3], et deux jours après on en fit cet horrible massacre si renommé par toute l'Europe.

Le pauvre comte de Chabannes, qui s'était venu cacher dans l'extrémité de l'un des faubourgs de Paris pour

---

1. La fièvre se déclencha chez elle si fortement et si brutalement.

2. Ici, délires donnés par la fièvre.

3. Voir note 3, p. 47. Gaspard de Coligny, sieur de Châtillon, fut assassiné dans la nuit du 23 au 24 août 1572, première victime de la Saint-Barthélemy. Deux jours auparavant, Maurevert, sur ordre du roi, avait tiré sur Coligny et l'avait blessé.

s'abandonner à sa douleur, fut enveloppé dans la ruine des huguenots[1]. Les personnes chez qui il s'était retiré l'ayant reconnu et s'étant souvenues qu'on l'avait soupçonné d'être de ce parti le massacrèrent cette même nuit qui fut si funeste à tant de gens.

Le matin, le prince de Montpensier allant donner quelques ordres hors de la ville passa dans la même rue où était le corps de Chabannes. Il fut d'abord saisi d'étonnement à ce pitoyable spectacle. Ensuite, son amitié se réveillant lui donna de la douleur ; mais enfin le souvenir de l'offense qu'il croyait en avoir reçue lui donna de la joie, et il fut bien aise de se voir vengé par la fortune.

Le duc de Guise, occupé du désir de venger la mort de son père et, peu après, joyeux de l'avoir vengée[2] laissa peu à peu s'éloigner de son âme le soin d'apprendre des nouvelles de la princesse de Montpensier, et trouvant la marquise de Noirmoutiers[3], personne de beaucoup d'esprit, de beauté et qui donnait plus d'espérance que cette princesse, il s'y attacha entièrement, et l'aima[a] jusques à la mort.

Cependant, après que la violence du mal de Mme de Montpensier fut venue au dernier point, il commença à diminuer. La raison lui revint, et, se trouvant

a. Ms. fr. : « « l'aima, avec cette passion démesurée, qui lui dura ». I : « l'aima avec une passion démesurée, et qui lui dura ». NAF constitue ici la version la plus brève et la moins insistante.

1. Fut pris dans le déferlement de haine envers les protestants.
2. Selon les historiens, il ressentait un désir de vengeance constant envers les protestants depuis l'assassinat de son père, en 1563, au siège d'Orléans.
3. Il s'agit de Charlotte de Beaune Semblançay (1551-1617), alors épouse de Simon de Fizes, baron de Sauve (et non de François de la Trémoille, marquis de Noirmoutiers, qu'elle n'épousa qu'en 1584). Sa beauté et ses galanteries sont mentionnées par les historiens Davila et Brantôme. La reine Marguerite, dans ses *Mémoires*, et Mézeray rapportent sa liaison avec Guise.

soulagée [a] par l'absence du prince son mari, elle donna quelque espérance de sa vie [1]. Sa santé revenait avec peine par le mauvais état de son esprit, qui fut travaillé [2] de nouveau, se souvenant de n'avoir eu aucune nouvelle du duc de Guise pendant toute sa maladie. Elle s'enquit de ses femmes si elles n'avaient vu personne, si elles n'avaient point de lettres, et, ne trouvant rien de ce qu'elle eût souhaité, elle se trouva la plus malheureuse du monde d'avoir tout hasardé pour un homme qui l'abandonnait.

Ce lui fut encore un nouvel accablement d'apprendre la mort du comte de Chabannes, qu'elle sut bientôt par les soins du prince son mari.

L'ingratitude du duc de Guise lui fit sentir plus vivement la perte d'un homme dont elle connaissait si bien la fidélité. Tant de déplaisirs si pressants la remirent bientôt dans un état aussi dangereux que celui dont elle était sortie, et comme Mme de Noirmoutiers était une personne qui prenait autant de soin de faire éclater ses galanteries que les autres de les cacher, celles de M. de Guise et d'elle étaient si publiques que, tout éloignée et malade qu'était Mme de Montpensier, elle l'apprit de tant de côtés qu'elle n'en put douter.

Ce fut le coup mortel pour sa vie. Elle ne put résister à la douleur d'avoir perdu l'estime de son mari, le cœur de son amant et le plus parfait ami qui fut jamais. Elle mourut en peu de jours [b], dans la fleur de son âge, une des plus belles princesses du monde et qui aurait été la plus heureuse si la vertu et la prudence eussent conduit toutes ses actions [3].

a. Ms. fr. et I : « un peu soulagée ».
b. Ms. fr. : « peu de jours après ».

---

1. Fit espérer qu'elle resterait en vie.
2. Torturé.
3. On ne connaît pas la date de la mort de la princesse de Montpensier. Son unique fils, Henri de Bourbon, naquit le 12 mai 1573.

DOSSIER

Pour rédiger *La Princesse de Montpensier*, Mme de Lafayette consulte et suit de près plusieurs ouvrages d'histoire, en particulier l'*Histoire des guerres civiles*, de l'historien italien Enrico Davila (1576-1631), auquel elle emprunte plusieurs scènes, mais aussi l'*Histoire de France depuis Faramond*, de François Eudes de Mézeray (1610-1683).

HISTOIRE DES GUERRES CIVILES DE FRANCE : PROJETS DE MARIAGE

L'historien mentionne le mariage de Mlle de Mézières avec le prince de Montpensier, malgré les accords déjà conclus avec la maison de Guise ; Mme de Lafayette reproduit les précisions de Davila en y mêlant son intrigue fictive, les amours secrètes du duc de Guise et de l'héroïne.

L'on en fit ensuite un autre [mariage] plus solennel, qui fut celui du Prince Dauphin, Fils du Duc de Montpensier, avec l'Héritière et la fille unique du Marquis de Mézières, à qui elle était inégale en naissance, et non pas en biens, jouissant de quarante mille livres de rente ; et d'autant qu'elle avait été déjà promise au Duc de Mayenne, second fils du feu Duc de Guise, ceux du Parti Huguenot se persuadèrent, que cela pourrait mettre quelque dissension entre les Maisons de Montpensier et de Lorraine. Mais le Cardinal, le Duc d'Aumale, et leurs autres Alliés, qui savaient combien il leur importait de ne se point désunir d'avec le plus riche de tous les Princes du Sang, dissimulèrent prudemment ce tort qui leur était fait, voyant bien qu'il n'y avait plus d'apparence, ni de moyen d'interrompre une affaire de cette nature, qu'on avait déjà conclue [1].

Mme de Lafayette reprend, presque textuellement, un autre passage de l'œuvre de Davila. Le duc de Guise, qui prétend à la main de Marguerite de Valois, sœur du roi, est fâché d'apprendre le projet de mariage entre cette princesse et le futur Henri IV. Le roi Charles IX s'irrite devant les prétentions du duc et le force à se retirer.

[...] le duc de Guise ayant espéré dès ses premières années d'obtenir en Mariage Madame Marguerite, sœur du Roi, qu'il avait pour cet effet recherchée, et longtemps servie, avait un secret déplaisir de ce qu'elle était maintenant destinée pour être femme du Prince de Navarre son Ennemi. En effet, il était vrai que le Duc de Guise avait durant plusieurs ans ardemment aimé Madame Marguerite, et qu'elle aussi avait répondu à son amour avec la même ardeur. Ce qui faisait croire à tout le monde, qu'il y avait entre eux non seulement une familiarité secrète et domestique, mais que par une mutuelle promesse ils avaient contracté Mariage. Or soit que le Duc de Guise eût éteint en partie l'ardeur de sa passion, comme il arrive souvent, que ceux qui aiment facilement sont peu constants à continuer, soit que se gouvernant par le conseil de son Oncle, il mît toute autre chose au-dessous de la considération de sa propre grandeur, et de la ruine de l'Amiral [2] ; tant y a que se rangeant maintenant à la volonté du Roi, il consentait en son âme que Madame Marguerite se mariât au Prince de Navarre ; mais témoignant en l'extérieur qu'il en était piqué au dernier point, il donnait accroissement à la satisfaction, et à la confidence [3] des Seigneurs huguenots. Le Roi cependant usant toujours de dissimulation, en

---

1. Enrico Davila, *Histoire des guerres civiles de France*, trad. J. Baudoin, P. Rocolet, 1644, t. I, livre III, p. 184.
2. Gaspard de Châtillon, sire de Coligny (1519-1572), amiral de France. Voir note 3, p. 47.
3. Confiance.

laquelle il était maître passé, montrait de temps en temps
qu'il était mal satisfait, même du gouvernement de la Reine
sa Mère, à laquelle il savait que les Huguenots ne se fiaient
guère, et plus encore de son Frère le duc d'Anjou : de
manière que donnant à connaître publiquement, qu'il désirait que l'occasion de l'éloigner se présentât, il avait sollicité
l'Amiral à faire en sorte que par l'entremise du sieur de
Beauvais son frère, autrefois Cardinal, qui demeurait maintenant en Angleterre, on commençât de traiter du Mariage
entre le duc d'Anjou, et la Reine Élisabeth [1], sous certaines
conditions qui regardaient l'exercice de la Religion. Ce que
l'on faisait, non pas pour aucune espérance qu'on eut que
cela se pût conclure, puisque tout le monde connaissait assez
que la Reine n'avait pas du tout point d'inclination à se sou-
mettre au joug du Mariage, ni à la puissance d'un Mari
étranger ; mais partie pour mettre plus dans la confidence
l'esprit des Huguenots, partie pour témoigner qu'on désirait
bien fort d'éloigner le Duc d'Anjou autant qu'il serait possible du Gouvernement de l'État ; et partie encore, de peur
que la Reine d'Angleterre, comme les humeurs des Femmes
sont variables, ne se résolût de prendre pour Mari le Prince
de Navarre, qui était de sa même Religion, et à qui elle aurait
pu imposer des Lois et des conditions à sa mode, ou même
fortifier le Parti des Huguenots par de nouveaux secours,
plus puissants, et plus intéressés. Ce qu'on proposait donc le
Duc d'Anjou, était afin qu'en cas qu'elle prît résolution de
se marier, elle eût sujet de s'adresser à lui, non seulement
pour être Prince de Grandeur plus relevée, mais encore de
plus haute estime, d'âge plus robuste, et ce qui s'accommo-
dait mieux à l'inclination de la Reine, d'une beauté floris-
sante. Et d'autant que Madame Marguerite ne s'arrêtant
point aux intérêts d'État, mais seulement à sa passion, refu-
sait ouvertement de vouloir d'autre Mari que le Duc de
Guise, il advint un soir qu'on tenait le Bal, que lui-même

---

1. Les négociations en vue du mariage entre le duc d'Anjou, futur
Henri III, et la reine Élisabeth Ire d'Angleterre achoppèrent en raison
des problèmes religieux. Malgré les nombreuses propositions qu'elle
reçut, la reine ne se maria jamais.

s'étant présenté richement vêtu, et tout éclatant de pierreries (ce qui ajoutait encore beaucoup à sa bonne mine) pour entrer dans la Salle Royale ; le Roi qui était à la porte, lui demanda où il allait, sans lui faire les caresses accoutumées. À quoi le Duc ayant fait réponse ; *Qu'il venait là pour servir sa Majesté.* Le Roi ajouta ; *Qu'il n'avait pas besoin de son service.* Or soit qu'il le dît tout de bon, soit que ce fût une feinte, tant y a que ce trait lui entra si vivement dans l'âme, que le jour d'après il conclut de prendre à Femme Catherine de Clèves, sœur de la Duchesse de Nevers, et veuve du Prince de Porcien, quoiqu'il s'en fallut beaucoup (bien qu'elle fût de grande naissance, et pourvue de qualités excellentes) qu'elle n'égalât en plusieurs autres choses, et particulièrement en beauté de corps, la Princesse Marguerite. Mais l'ambition de commander, le désir de venger la mort de son Père, les persuasions de son Oncle, et surtout l'appréhension qu'il avait d'aigrir contre lui l'esprit du Roi, gagnèrent plus de pouvoir sur son esprit, que n'en eurent les autres considérations, de quelque nature qu'elles fussent [1].

HISTOIRE DE FRANCE DEPUIS FARAMOND : D'ILLUSTRES CONQUÊTES

Une autre source du roman de Mme de Lafayette est l'*Histoire de France depuis Faramond*, de François Eudes de Mézeray, ouvrage très diffusé durant tout le siècle. Il rapporte notamment la liaison du duc de Guise et de la marquise de Noirmoutiers.

Les pensées de la Reine étant portées à la guerre, celles des Princes et du Roi même l'étaient à l'amour, tant par leur propre naturel, que par la corruption du temps ; comme aussi par les artifices dont cette Reine se servait à embarrasser leurs jeunes esprits dans des occupations oiseuses, afin

---

1. Enrico Davila, *Histoire des guerres civiles de France, op. cit.*, t. I, livre V, p. 309-310.

que comme une autre Circé, elle pût toujours les tenir sous sa baguette. En ce temps-là les Dames n'observaient pas cette austère continence qui a tant été louée par nos ancêtres : mais pourtant elles se faisaient encore servir avec de profonds respects, et avec un grand éclat, gardant au dehors une noble fierté et une gloire impérieuse ; de sorte qu'elles aimaient plus les illustres conquêtes que les riches, et n'acceptaient point d'offres de service, dont elles ne pussent faire vanité. De toutes les beautés qui brillaient lors à la Cour, la Dame de Sauve [1], la plus éclatante et la plus spirituelle, mais la plus inconstante et la plus vaine, n'employait pas moins ses attraits pour les intentions de la Reine, que pour sa propre satisfaction ; se jouant de tous ses mourants avec un empire si absolu, qu'elle n'en perdait pas un, quoiqu'elle en acquît toujours de nouveaux. Le premier de tous était le Duc de Guise, si galant et si brave, qu'à moins d'une haute vertu, il n'y avait point de cœur où il ne fît brèche. Mais comme la Reine avait ordonné à cette Dame d'adoucir les ressentiments du Roi de Navarre, elle s'en était si bien acquittée, que le Duc en avait pris une violente jalousie [2].

---

1. Il s'agit de Charlotte de Beaune Semblançay (1551-1617), alors baronne de Sauve, nommée marquise de Noirmoutiers dans la nouvelle (voir note 3, p. 79).

2. François Eudes de Mézeray, *Histoire de France depuis Faramond, tome troisième. Contenant le règne du roi Henri III*, M. Guillemot, 1651, p. 43-44.

— *Le roman et la nouvelle au XVIIe siècle*

« Les petites Histoires ont entièrement détruit les grands Romans. » C'est ainsi que, en 1683, Du Plaisir ouvre son traité théorique sur le roman, dont la méthode consiste à codifier les « Romans nouveaux » en s'appuyant sur le refus des pratiques propres aux « anciens Romans ». Un tel bilan n'est pas inédit : une opinion similaire est formulée par de nombreux autres observateurs, critiques et romanciers, à partir du milieu des années 1660. Ils datent généralement cette mort du roman de la fin des années 1650 ou du début des années 1660, et l'attribuent le plus souvent à un désaveu du public. Après avoir apprécié les longs romans, un genre étroitement associé à Georges et Madeleine de Scudéry, le lectorat s'en est détourné au profit d'autres formes narratives.

La narration en prose connaît, effectivement, un important renouveau formel vers 1660 : des récits courts, à l'intrigue simple, supplantent les derniers romans longs et complexes, tandis qu'au modèle épique se substitue la narration linéaire et efficace de l'« histoire véritable ». Les choix terminologiques rendent plus aiguë la rupture : les écrivains refusent le terme « roman » en faveur des mots « nouvelle », « histoire » ou encore « nouvelle historique », « nouvelle galante », « histoire nouvelle », « histoire véritable », etc.

Traité de l'origine des romans :
« ce que l'on appelle proprement Romans »

Pierre-Daniel Huet (1630-1721) est un proche de Mme de Lafayette, sous-précepteur du dauphin, puis évêque d'Avranches. Le *Traité de l'origine des romans* est initialement publié en préface à *Zayde*. Il est ensuite remanié et fait l'objet de cinq éditions successives. Connaissant un grand succès aux XVIIe et XVIIIe siècles, il est cité par tous ceux qui réfléchissent sur le roman, mais également dans des dictionnaires ou des ouvrages de civilité.

Les premiers paragraphes du traité définissent la matière propre au roman, la forme et la finalité que Huet confère au genre. La définition proposée par le théoricien fait du roman un genre moral, devant respecter la règle de la « vertu couronnée » et du « vice châtié », et régulier, à travers une comparaison avec l'épopée. En énonçant une telle définition en 1670, Huet entérine une conception déjà datée du genre, qui correspond au roman héroïque tel que l'ont pratiqué les Scudéry, et non à la nouvelle historique et galante. Dans la suite du traité, l'auteur analyse la fable orientale, le roman grec, le roman latin et les vieux romans français. L'organisation du traité vise à montrer la supériorité du roman moderne sur toutes les autres formes et à lui conférer de grands modèles.

[...] ce que l'on appelle proprement Romans sont des fictions d'aventures amoureuses, écrites en Prose avec art, pour le plaisir et l'instruction des Lecteurs. Je dis des fictions, pour les distinguer des Histoires véritables. J'ajoute, d'aventures amoureuses, parce que l'amour doit être le principal sujet du Roman. Il faut qu'elles soient écrites en Prose, pour être conformes à l'usage de ce siècle. Il faut qu'elles soient écrites avec art, et sous de certaines règles ; autrement ce sera un amas confus, sans ordre et sans beauté. La fin principale des Romans, ou du moins celle qui le doit être, et que se doivent proposer ceux qui les composent, est l'instruction des Lecteurs, à qui il faut toujours faire voir la vertu couronnée, et le vice châtié. Mais comme l'esprit de l'homme est naturellement ennemi des enseignements, et que son amour-propre le révolte contre les instructions, il le faut tromper par l'appât du plaisir, et adoucir la sévérité des préceptes par l'agrément des exemples, et corriger ses défauts en les condamnant dans un autre. Ainsi le divertissement du Lecteur, que le Romancier habile semble se proposer pour but, n'est qu'une fin subordonnée à la principale, qui est l'instruction de l'esprit, et la correction des mœurs : et les Romans sont plus ou moins réguliers, selon qu'ils s'éloignent plus ou moins de cette définition et de cette fin [1].

LES NOUVELLES FRANÇAISES :
LES BUTS ET LES EXIGENCES DU ROMAN

Jean Regnault de Segrais (1624-1701) fut le protégé de la Grande Mademoiselle, cousine germaine de Louis XIV, puis se retira chez Mme de Lafayette ; il est lui-même l'auteur d'un roman, *Bérénice*, et d'un recueil de nouvelles. *Les Nouvelles françaises* proposent à la fois une réflexion théorique sur la fiction narrative et une tentative pour mettre en pratique ces exigences nouvelles. Le cadre des nouvelles, dont le modèle explicite est l'*Heptaméron* de Marguerite de Navarre, met en scène un cercle de jeunes femmes réunies dans le palais de la princesse Aurélie, qui rapportent à tour de rôle des histoires que les autres commentent. Le « Prologue » définit le genre et les ambitions de l'ouvrage : les narratrices y disent préférer la vérité au vraisemblable.

---

1. Pierre-Daniel Huet, *Traité de l'origine des romans*, dans [Mme de Lafayette], *Zayde. Histoire espagnole*, C. Barbin, 1670, t. I, p. 6.

L'esthétique de la nouvelle est ici fondée sur la référence au roman héroïque : le prologue mentionne les ouvrages contemporains les plus fameux en notant ce qui plaît au lecteur. En opposant la nouvelle au grand roman, la princesse expose les principes qui doivent fonder sa composition : il s'agit de mettre en lieu et place des « choses qui sont un peu éloignées de la raison » des « imaginations vraisemblables et naturelles ». Le principe de vraisemblance doit présider au choix de la situation spatio-temporelle, ce qui implique de renoncer à l'« éloignement des lieux » et à l'« antiquité des temps », mais également des personnages.

– Quoique jusqu'ici cette lecture ne m'ait pas fort occupée, dit-elle, je ne voudrais pas la censurer, voyant qu'elle fait l'amusement de tant de gens qui ont de l'esprit. Les beaux Romans ne sont pas sans instruction, quoi qu'on en veuille dire, principalement depuis qu'on y mêle l'Histoire, et quand ceux qui les écrivent, savants dans les mœurs des Nations, imaginent des aventures qui s'y rapportent, et qui nous en instruisent. Qu'y a-t-il de mieux fait, de plus touchant, et de plus naturel que les belles imaginations de *L'Astrée* ? Où en peut-on voir de plus extraordinaires, et de mieux écrites que dans le *Polexandre* ? Que peut-on lire de plus ingénieux que l'*Ariane* ? Où peut-on trouver des Inventions plus héroïques que dans la *Cassandre* ? des Caractères mieux variés, et des aventures plus surprenantes que dans la *Cléopâtre* ? La seule Histoire du Peintre et du Musicien qui se lit dans *L'Illustre Bassa*, ne ravit-elle pas, et ne vaut-elle pas seule les plus riches inventions des autres ? Qu'est-ce qu'une personne qui sait le monde, ne doit pas dire de l'admirable variété du *Grand Cyrus*[1], des différentes images où chacun peut se contempler, et de ces délectables, et tout à fait instructives conversations, qui font qu'on ne saurait quitter la lecture de

---

1. *Ariane* (1632) est un roman de Jean Desmarets de Saint-Sorlin, *Cléopâtre* (1647), un roman de Gautier de Costes de La Calprenède, *Ibrahim ou l'Illustre Bassa* (1641-1644) et *Artamène ou le Grand Cyrus* (1649-1653), des romans de Georges et Madeleine de Scudéry.

ce bel ouvrage ? Mais, à dire le vrai, les grands revers que
d'autres ont quelquefois donnés aux vérités historiques, ces
entrevues faciles, et ces longs entretiens qu'ils font faire dans
des Ruelles entre des hommes, et des femmes, dans des Pays
où la facilité de se parler n'est pas si grande qu'en France,
et des mœurs tout à fait françaises qu'ils donnent à des
Grecs, des Persans ou des Indiens, sont des choses qui sont
un peu éloignées de la raison. Le but de cet art étant de
divertir par des imaginations vraisemblables et naturelles, je
m'étonne que tant de gens d'esprit, qui nous ont imaginé de
si honnêtes Scythes, et des Parthes si généreux, n'ont pris le
même plaisir d'imaginer des Chevaliers, ou des Princes français aussi accomplis, dont les aventures n'eussent pas été
moins plaisantes.

[...] Gélonide, qui a l'esprit fort naturel, et le goût excellent
pour toutes ces choses, répliqua que les Espagnols n'ont pas
laissé d'en user autrement avec succès ; que les Nouvelles
qu'ils ont faites, n'en étaient pas plus désagréables pour avoir
des Héros qui ont nom Richard ou Laurens, et goûtant les
raisons de la Princesse :

– Je vous assure, dit-elle, que je crois que ce n'est que faute
d'invention ; nous avons des noms de terminaison française
aussi agréable que les Grecs ou les Romains, et qui pourrait
venir à bout de trouver des aventures extrêmement naturelles,
tendres et surprenantes, je crois que nous les aimerions
autant passées dans la guerre de Paris, que dans la destruction de Troie.

Mais Uralie prenant la parole :

– Il me semble, dit-elle, que comme l'éloignement des
lieux, l'antiquité du temps rend aussi les choses plus véné-
rables, outre que si l'on nous racontait quelque chose de ce
temps ici, qui fût un peu mémorable, il y aurait à craindre
que personne n'en voulût rien croire ; parce que si l'on décrivait ces Héros comme des gens que nous voyons dans le
monde, on s'étonnerait de n'en avoir point ouï parler [1].

---

1. Jean Regnault de Segrais, *Les Nouvelles françaises*, A. de Somma-
ville, 1657, p. 25-33.

À la suite de la première nouvelle, « Eugénie », le genre de la nouvelle est distingué du roman par une exigence de vérité qui le rapproche de l'histoire.

> – Je suis bien aise, reprit Aurélie, de vous entendre parler ainsi ; car j'aime mieux qu'on me reprenne que de souffrir qu'on me loue. Je n'aurais qu'à vous répondre à toutes deux que nous avons entrepris de raconter les choses comme elles sont, et non pas comme elles doivent être : qu'au reste il me semble que c'est la différence qu'il y a entre le Roman, et la Nouvelle, que le Roman écrit ces choses comme la bien-séance le veut et à la manière du Poète ; mais que la nouvelle doit un peu davantage tenir de l'histoire et s'attacher plutôt à donner les images des choses comme d'ordinaire nous les voyons arriver, que comme notre imagination se les figure [1].

ANNALES GALANTES :
ENTRE FIDÉLITÉ ET INVENTION

Les *Annales galantes* de la romancière Mme de Ville-dieu (1640-1683) sont un recueil de nouvelles qui s'inspirent de faits ou de personnages historiques. La relecture de l'histoire que propose l'auteur s'attache à distinguer la progression de la galanterie. L'avant-propos définit d'abord la matière de l'ouvrage : les *Annales galantes* sont des « vérités historiques », non de simples « fables ingénieuses » auxquelles on aurait ajouté des noms de personnes réelles. Elles se fondent sur des faits, et c'est à partir de ce fondement véridique que l'invention de l'auteur a pu se déployer, « [augmentant] à l'Histoire » les éléments sur lesquels celle-ci reste muette. Le mélange de la fiction et de l'histoire ainsi défini est donc gouverné par un double principe : fidélité aux faits, vraisemblance

---

1. Jean Regnault de Segrais, *Les Nouvelles françaises*, *op. cit.*, p. 240-241.

dans l'invention de discours et l'ajout d'ornements.
L'auteur s'attache ensuite à deux points sur lesquels elle
pourrait être attaquée : la ressemblance entre ses histoires
et des faits contemporains, et la moralité de son propos.

Le siècle se vante de tant de subtilité, et la licence d'écrire
les Intrigues vivantes, est devenue si commune, que j'ai cru
devoir prévenir les Erreurs du Public par cet Avertissement.
Je lui déclare donc, que les *Annales Galantes* sont des vérités
historiques, dont je marque la source dans la Table que j'ai
insérée exprès à la fin de ce premier Tome. Ce ne sont point
des fables ingénieuses, revêtues de noms véritables, comme
on en a vu un essai depuis quelques mois dans un des plus
charmants Ouvrages de nos jours. Ce sont des traits fidèles
de l'Histoire générale. Il y a eu autrefois une Comtesse de
Castille, et elle suivit en France un Pèlerin. Il y a eu des
Fraticelles [1], et ils ont été condamnés par les Papes Boni-
face VIII et Clément V pour les crimes que je leur impute.
Qu'on ne cherche point un Tableau de l'hypocrisie du siècle
dans cette Aventure, elle est une relation fidèle d'une hypocrisie ancienne. J'avoue que j'ai ajouté quelques ornements à la
simplicité de l'Histoire. La majesté des matières historiques
ne permet pas à l'Historien judicieux de s'étendre sur les
Incidents purement galants, il ne les rapporte qu'en passant ;
et il faut une Bataille fameuse, ou le renversement d'une
Monarchie pour lui arracher une digression. J'ai dispensé
mes Annales de cette austérité. Quand l'Histoire d'Espagne
m'apprend qu'une Comtesse souveraine de Castille suivit en
France un Pèlerin de Saint-Jacques, je présuppose que cette
grande résolution ne se prend pas dans un moment, il faut
se parler, il faut se voir, pour s'aimer jusques à cet excès.
J'augmente donc à l'Histoire quelques entrevues secrètes, et
quelques discours amoureux. Si ce ne sont ceux qu'ils ont
prononcés, ce sont ceux qu'ils auraient dû prononcer. Je n'ai
point de mémoires plus fidèles que mon jugement ; quand
on m'en fournira quelques-uns, où mes Héros parleront

---

1. Ces moines franciscains se révoltèrent contre l'autorité de l'Église
au XIIIe siècle et furent déclarés hérétiques.

mieux que dans mes Annales, je consens à rapporter leurs paroles propres. Mais tant que les Historiens les rendront muets, je croirai pouvoir les faire parler à ma mode. Si dans les incidents que j'invente, et dans les conversations que je fais faire, il se trouve quelque ressemblance avec les Intrigues de notre temps ; ce n'est ni la faute de l'Histoire, ni la mienne : l'une était faite avant nous, et je jure de n'avoir pas songé que nous fussions, quand j'ai parlé de ceux qui ont été. Mais comme il y eut de tous temps, un amour, et des amoureux, il est difficile que ceux qui ont été susceptibles des mêmes sentiments, n'aient pas été capables des mêmes actions. On est homme aujourd'hui, comme on l'était il y a six cents ans : les lois des Anciens sont les nôtres, et on s'aime comme on s'est aimé. Faut-il donc s'étonner si ce qui est arrivé dans les premiers siècles a quelque rapport avec ce qui arrive dans celui-ci [1] ?

SENTIMENTS SUR L'HISTOIRE : UN ART POÉTIQUE DE LA NOUVELLE

Les *Sentiments sur les lettres et sur l'histoire avec des scrupules sur le style*, publiés sous le nom de Du Plaisir, qui est peut-être un pseudonyme, contiennent une étude sur la nouvelle intitulée *Sentiments sur l'histoire*. Ceux-ci se fondent sur le constat d'un changement du genre romanesque. L'auteur se propose d'en exposer les aspects majeurs et invite le lecteur à en tirer les conséquences. L'ouvrage frappe par sa démarche objective, complète et cohérente ; aussi a-t-on pu y voir un « art poétique de la nouvelle classique [2] ». Du Plaisir affirme la nécessité d'un

---

1. Mme de Villedieu, *Annales galantes*, C. Barbin, 1670, « Avant-propos ».
2. A. Kibedi-Varga, « Pour une définition de la nouvelle à l'époque classique », *Cahiers de l'Association internationale des études françaises*, n° 18, 1966, p. 54.

lieu et d'une époque proches. Il renouvelle ainsi le problème des unités de temps et de lieu soulevé par les théoriciens du début du siècle, en orientant la définition du vraisemblable vers le naturel. De plus, il apporte des éléments vraiment nouveaux en s'interrogeant sur la place du narrateur et en soulevant, le premier, la question de l'illusion narrative et de la lecture d'identification.

Enfin, si le traité de Du Plaisir ne cite jamais les romans de Mme de Lafayette, il formule une poétique dont de nombreux éléments font implicitement référence à *La Princesse de Clèves* ou à *La Princesse de Montpensier*. L'ouverture du roman qu'il prône correspond parfaitement à celles de ces deux récits. Par ailleurs, le recours modéré aux maximes et aux conversations que souhaite Du Plaisir correspond à la pratique de Mme de Lafayette. Enfin, Du Plaisir préconise l'esthétique de l'extraordinaire, si manifeste dans *La Princesse de Clèves*.

> Je connais peu de règles pour l'Histoire véritable. C'est une peinture dont les traits sont toujours aimés, pourvu qu'ils soient sincères ; ou du moins si cette beauté essentielle a besoin d'agréments, elle les emprunte principalement d'une expression exacte, et polie.
>
> Je n'avais d'abord eu dessein que de parler de cette expression ; mais parce que l'Histoire galante a un grand cours dans le monde, je serai bien aise, pour engager les Savants à me faire connaître ses beautés et ses défauts, de proposer ici ce que je m'en imagine, et ce que je trouve de différent ou de commun entre elle, et l'Histoire véritable.
>
> Les petites Histoires ont entièrement détruit les grands Romans. Cet avantage n'est l'effet d'aucun caprice. Il est fondé sur la raison, et je ne pourrais assez m'étonner de ce que les fables à dix et douze Volumes aient si longtemps régné en France, si je ne savais que c'est depuis peu seulement que l'on a inventé les Nouvelles. Cette dernière espèce est principalement très convenable à l'humeur prompte et vive de notre Nation. Nous haïssons tout ce qui s'oppose à

notre curiosité ; nous voudrions presque commencer la lecture d'un Volume par la fin, et nous ne manquons jamais d'avoir du dépit contre les Auteurs, qui ne ménagent pas assez les moyens de nous satisfaire promptement.

Ce qui a fait haïr les anciens Romans, est ce que l'on doit d'abord éviter dans les Romans nouveaux. Il n'est pas difficile de trouver le sujet de cette aversion ; leur longueur prodigieuse, ce mélange de tant d'histoires diverses, leur grand nombre d'Acteurs, la trop grande antiquité de leurs sujets, l'embarras de leur construction, leur peu de vraisemblance, l'excès dans leur caractère, sont des choses qui paraissent assez d'elles-mêmes.

La distribution d'une Histoire en quatre ou six Volumes, est à présent excessive ; on ne prend ordinairement pour matière des Romans, qu'un seul événement principal, et on ne le charge point de circonstances qui ne puissent être contenues en deux Tomes.

Le mélange d'Histoires particulières avec l'Histoire principale, est contre le gré du Lecteur. Le titre d'une Nouvelle, exclut tout ce qui n'est pas nécessaire pour la composer, en sorte que ce qu'on y ajoute, arrête le cours de la première Histoire. Les lecteurs se rebutent, ils sont fâchés de se voir interrompus par le détail des aventures de Personnes pour qui ils s'intéressent peu, et il arrive que dans la crainte de perdre de vue, et d'oublier un commencement de lecture qui ne manque point de les attacher aux premiers Héros, ils négligent de lire ce qui ne les regarde pas, c'est-à-dire, les trois quarts de toute la Fable.

Le petit nombre d'Acteurs épargne une grande confusion dans l'esprit et dans la mémoire. D'un côté, l'union des matières en est plus suivie ; de l'autre, l'imagination n'est point sans cesse occupée à reconnaître les Personnes dont on parle, et enfin chacun y paraît mieux caractérisé.

Les Nouvelles ne devraient point avoir pour sujets, des événements trop anciens, et on peut ajouter à cet article, qu'elles ne devraient point aussi avoir pour Scène, des lieux trop éloignés. Jamais un Historien ne peut assez attacher les Lecteurs. On n'a guère de curiosité pour des Siècles, et des Pays inconnus ; on en a au contraire pour ceux qui sont peu étrangers ; et il est indubitable, que de deux Histoires également travaillées, dont l'une contiendra tous incidents arrivés en France pendant les derniers Siècles, et l'autre, tous incidents arrivés en Grèce, ou pendant la première Race de nos Rois, celle-ci intéressera infiniment moins ; un nom barbare est seul capable de faire haïr une Histoire bien écrite [1].

---

1. Du Plaisir, *Sentiments sur les lettres et sur l'histoire avec des scrupules sur le style*, dans *Poétiques du roman. Scudéry, Huet, Du Plaisir et autres textes théoriques et critiques du XVIIe siècle sur le genre romanesque*, éd. C. Esmein, Honoré Champion, 2004, p. 762.

Les contemporains de Mme de Lafayette commentèrent abondamment la publication de *La Princesse de Clèves*. Leurs jugements montrent la manière dont l'œuvre, parfois critiquée, le plus souvent louée, est aussitôt érigée en chef-d'œuvre et en modèle pour la production romanesque. *La Princesse de Montpensier*, souvent mentionnée, est plus rarement analysée. Charles Sorel, Villars ou encore Bayle montrent néanmoins le rôle joué par cette œuvre qui introduisit en France la nouvelle historique et fut aussitôt imitée.

La Bibliothèque française : le style du « beau Monde »

Charles Sorel (avant 1602-1674), romancier et historiographe du roi, est l'auteur de plusieurs ouvrages sur la littérature, dans lesquels il porte un regard souvent critique sur les romans de son temps. Dans *La Bibliothèque française*, il fait l'éloge de *La Princesse de Montpensier*, introduisant notamment l'idée, peu répandue chez ses contemporains, que l'on peut proposer des lectures à clé de ce récit.

On a aussi imprimé *la Nouvelle de La Princesse de Montpensier*, laquelle vient d'une Personne de haute condition et d'excellent Esprit, qui se contente de faire de belles choses, sans que son nom soit publié. Ce Livre a eu grand cours pour son style qui est tout à fait de l'air du beau Monde. On a cru y trouver une aventure de ce Siècle, sous les noms de quelques Personnes de l'ancienne Cour, et parce que cette Pièce a été rare lorsqu'elle a couru en manuscrit, chacun a voulu l'avoir dès que l'impression en a multiplié les Copies [1].

DE LA DÉLICATESSE : « UN PETIT CHEF-D'ŒUVRE »

Écrivain et critique, l'abbé Montfaucon de Villars (1635-1673) met ici en scène deux personnages qui débattent à propos des nouvelles historiques. L'un d'eux condamne la manière dont elles dépeignent de façon plaisante des passions nocives. Il considère que le succès de ce type d'ouvrages vient de ce qu'ils « [ménagent] les inclinations et les passions qui règnent le plus universellement » et prend en exemple *La Princesse de Montpensier*, « petit chef-d'œuvre » qui selon lui flatte plusieurs « faiblesses du cœur ».

ALITON

[...] Quoi qu'il en soit, je mets en fait qu'on ne saurait faire un Livre aujourd'hui qui eût une approbation générale.

PASCHASE

Pourquoi non ?

ALITON

Parce que le siècle n'est généralement entêté de rien, et qu'il n'y a que les Livres qui favorisent quelque entêtement général qui aient un succès général.

PASCHASE

Au défaut de cet entêtement, il faut ménager les inclinations et les passions qui règnent le plus universellement : ou bien certain tour et certains replis du cœur, qui sont de tous les temps et de tous les siècles. Pourvu qu'on sache les toucher finement on ne peut manquer de plaire, et c'est en cette

1. Charles Sorel, *La Bibliothèque française* [1664], seconde édition revue et augmentée, Compagnie des Libraires du Palais, 1667, p. 180.

occasion qu'il est plus vrai qu'en toute autre que l'esprit est la dupe du cœur.

ALITON

Votre maxime n'est pas sûre. Y a-t-il de passion, par exemple, plus universelle que l'amour, et la peut-on traiter plus délicatement qu'elle l'est dans les Romans ? Cependant les Romans ne sont plus du goût du siècle.

PASCHASE

C'est que les Romans comme on les a faits ne prennent pas le tour du cœur, ils ne ménagent pas assez la pente qu'ont tous les hommes à l'amour déréglé, ils inventent une manière d'amour que la seule imagination autorise, ceux qui n'aiment pas pour se marier n'y trouvent pas leur compte. Le mariage est un ouvrage de la raison toute seule. Le cœur n'a guère eu de part en cette invention. C'est pourquoi on a vu cesser tout à coup cette ardeur qu'on avait pour les Romans : on y courait, parce qu'on espérait sans qu'on s'en aperçût, d'y trouver ses faiblesses autorisées ; et on les a quittés tout à coup sans savoir pourquoi ; parce qu'on n'y a pas trouvé ce qu'on y cherchait, et qu'on n'en a rapporté autre chose, si ce n'est qu'il faut brûler ou se marier, et le cœur ne cherche ni l'un ni l'autre.

ALITON

Selon cette réflexion il faudrait que les Romans licencieux réussissent toujours.

PASCHASE

Il est encore plus difficile d'en faire de cette espèce qui réussissent : il y a un autre tour dans le cœur dont peu de gens s'aperçoivent. Sa pente est d'aimer avec dérèglement, mais il ne veut pas qu'on le croie, ni qu'on agisse avec lui comme avec un libertin. Il veut conserver les apparences et qu'on les conserve avec lui, il se gendarme dès qu'on ne le traite pas de prude : il faut savoir flatter sa faiblesse et lui conserver l'apparence de la force. Qu'un Orfèvre qui plaide offre de l'argent à un Juge, il l'offensera ; qu'il prenne son temps, qu'il fonde cet argent et le lui envoie en vaisselle ; le présent sera reçu parce qu'il contentera l'avarice et sauvera l'apparence de la justice. Avez-vous lu *La Princesse de Mont-pensier* ? C'est un petit chef-d'œuvre, il a réussi admirablement, et on le lira toujours avec plaisir, parce qu'une grande partie des faiblesses du cœur y sont excellemment ménagées. La pente à la galanterie en la Princesse de Montpensier, toutes les Dames qui ont cette pente trouvent là leur compte. L'inclination qu'on a à conter des douceurs à la femme de son meilleur ami est flattée par le beau rôle de Chabannes. Le Duc de Guise autorise l'ingratitude de ceux qui quittent là leurs Maîtresses après les avoir perdues de réputation et mises en danger de perdre la vie. La clémence du Prince de Montpensier pour Chabannes qu'il trouve avec sa femme, et la prudence avec laquelle il dissimule la disgrâce qui lui est arrivée, sont au gré des maris qui dissimulent la sottise de leurs femmes, et au goût de ceux qui ont intérêt que les maris en usent ainsi. Il ne faut pas s'étonner si ce petit Livre flattant tout à la fois tant de faiblesses s'est acquis tant de réputation.

ALITON

N'y a-t-il que ces caractères dans ce livre ?

PASCHASE

Le Duc d'Anjou y fait encore un rôle particulier, et il exprime assez bien cette inclination qu'ont tous les hommes à traiter de haut en bas ceux qui ne sont pas leurs égaux.

ALITON

J'ai bien peur que ce Livre ne soit pas si excellent que vous le faites, puisque tous ces caractères sont si peu raisonnables.

PASCHASE

Encore une fois ce n'est pas la raison qui fait le succès des Livres, mais c'est l'adresse avec laquelle nous savons mettre le cœur de notre côté, et c'est un art et une affaire [1].

---

1. Nicolas de Montfaucon de Villars, *De la délicatesse*, C. Barbin, 1671, « Dialogue 1 », p. 6-15.

Nouvelles lettres : des romans qui « sentent fort la nature »

Pierre Bayle (1647-1706), grand écrivain et philosophe, auteur d'un *Dictionnaire historique et critique* (1697), est également un contempteur du roman, notamment des récits historiques qui voient le jour à partir de la publication de *La Princesse de Montpensier*. Il leur reproche de mêler réalité et fiction, de telle sorte que le lecteur ne puisse plus distinguer ce qui appartient à l'histoire véritable et ce qui relève de l'invention de l'auteur. Dans les lettres qui suivent, il met en cause plus particulièrement les récits de Mme de Lafayette. La lettre XXI envisage la moralité des romans et, s'attachant à *La Princesse de Clèves*, relève notamment la façon dont le duc de Nemours y est présenté sous un jour erroné.

Il semblait qu'on se fût voulu un peu approcher de la Nature par ces petits Romans qui ont succédé à ceux de dix tomes ; et en effet les choses s'y passent un peu plus humainement ; mais néanmoins on n'y parle pas de cent choses qui ne manquent jamais de se pratiquer entre les personnes qui s'aiment […]. Nos petits Romans donnent quelquefois des caractères si outrés, et si chimériques, que ceux qu'on faisait il y a trente ou quarante ans en plusieurs Volumes n'ont rien de plus excessif. Par exemple qu'y a-t-il de plus imaginaire que le Duc de Nemours, et la [Princesse [1]] de Clèves dans le Roman qu'on a fait pour eux ? Il est aimé, il sait qu'il est aimé, il est le plus galant homme, le mieux fait, et le plus aimable de son siècle, et il n'ose pas seulement dire un mot de son amour. Sa Maîtresse sent une passion pour lui extrêmement violente, et nonobstant tout cela ils ne font rien, ni ne disent rien. Le monde ne produit point des gens de cette espèce, ils ne sont que le pur Ouvrage d'un Romaniste. Je voudrais bien qu'on me montrât une Dame en France qui fût le vrai Original de la Princesse de Clèves. S'il y en avait

---

1. « Duchesse » dans le texte.

une je vous promets que j'irais la voir, quand il me faudrait faire quatre cents lieues à pied. Mais je crois qu'il serait encore plus rare de trouver l'Original du Duc de Nemours parmi les Seigneurs de la Cour [1].

La lettre suivante constitue une réponse à celle-ci et revient sur la vraisemblance et la moralité des personnages de roman :

[J]e ne saurais m'empêcher d'avertir M. Crisante qu'il se trompe manifestement lorsqu'il dit que les nouveaux Romanistes ne se sont pas approchés de la Nature. On n'a qu'à lire *La [Princesse] de Montpensier*, qui est un petit Roman qu'on estime fort, et que l'on attribue à une Dame de beaucoup d'esprit ; on n'a qu'à voir les *Annales galantes* de Mme de Villedieu, et son *Journal amoureux*, et l'on verra que les nouvelles Héroïnes de Roman ne sont pas meilleures que les femmes ordinaires. [...] il est certain que les Romans de cette Dame sentent fort la nature. J'en pourrais nommer cent autres qui ont été faits apparemment sur le modèle de ceux-là, et sur celui de *La [Princesse] de Montpensier*, chacun ayant cru que la meilleure méthode pour bien décrire le caractère des femmes, était d'imiter les Romans écrits par des femmes, mais ce que je viens d'en dire suffit [2].

1. Pierre Bayle, *Nouvelles Lettres de l'auteur de la Critique générale de l'histoire du calvinisme de M. Maimbourg*, Villefranche, P. Le Blanc, 1685, 1re partie, t. II, lettre XXI, p. 658.

2. Pierre Bayle, *Nouvelles Lettres de l'auteur de la Critique générale de l'histoire du calvinisme de M. Maimbourg*, *op. cit.*, lettre XXII, p. 736.

Les quatre textes de fiction de Mme de Lafayette sont construits autour d'une héroïne éponyme. Ils sont différents formellement, le *corpus* réunissant deux nouvelles, l'une particulièrement brève (*La Comtesse de Tende*), l'autre donnant un rôle central à l'histoire (*La Princesse de Montpensier*), une œuvre qui fonde l'art classique du roman par la concision et l'unité de narration (*La Princesse de Clèves*) et un récit dont l'architecture est redevable au roman héroïque (*Zayde*). Ce dernier se distingue des trois autres œuvres, qui ont pour cadre la cour de France au XVIᵉ siècle, sous le règne des derniers Valois. En effet, l'action de *Zayde* se déroule en Espagne au tournant des IXᵉ et Xᵉ siècles, et s'étend à l'ensemble des pays entourant la Méditerranée. De plus, ce roman, qui multiplie les péripéties romanesques et les hasards trop bien agencés pour être vraisemblables, a une fin heureuse, contrairement aux trois autres récits, de facture plus moderne.

ZAYDE, HISTOIRE ESPAGNOLE (1669-1671) : LA BELLE « INCONNUE »

Le héros du roman, Consalve, fils d'un puissant comte de Castille, découvre que la femme qu'il pensait aimer l'a trahi avec un ami à qui il avait accordé sa confiance. Il quitte alors la cour de León et décide de vivre loin des hommes. En compagnie d'un autre jeune seigneur en quête de solitude, Alphonse, il rencontre, à la suite d'une tempête, une femme ravissante, Zayde, qu'il croit d'abord morte. Sa grâce et sa beauté l'attirent aussitôt. Mais, Zayde ne parlant pas l'espagnol, ils ne peuvent communiquer. Ce n'est qu'après l'avoir perdue et retrouvée, et avoir combattu un seigneur maure à qui Zayde semblait promise, qu'il peut lui déclarer son amour. Entre-temps, Consalve a appris le grec et Zayde l'espagnol. Au terme d'un roman plein de péripéties et d'histoires secondaires, la jeune femme, dont le père, arabe et musulman, se convertit au christianisme, peut enfin épouser Consalve.

Dans le passage qui suit, le héros découvre Zayde inanimée sur une plage. Il est aussitôt ébloui par la perfection de ses traits et ne peut plus se détacher de cette inconnue qu'il n'a de cesse de contempler.

[Consalve] tourna ses pas vers ce qu'il voyait, et en s'approchant il connut que c'était une femme magnifiquement habillée, étendue sur le sable, et qui semblait y avoir été jetée par la tempête. Elle était tournée d'une sorte qu'il ne pouvait voir son visage : il la releva pour juger si elle était morte ; mais quel fut son étonnement, quand il vit au travers des horreurs de la mort la plus grande beauté qu'il eût jamais vue. Cette beauté augmenta sa compassion, et lui fit désirer que cette personne fût encore en état d'être secourue. Dans ce moment Alphonse qui l'avait suivi par hasard, s'approcha, et lui aida à la secourir. Leur peine ne fut pas inutile, ils virent qu'elle n'était pas morte ; mais ils jugèrent qu'elle avait besoin d'un plus grand secours, que celui qu'ils lui pouvaient donner en ce lieu : comme ils étaient assez proches de leur demeure, ils se résolurent de l'y porter ; sitôt qu'elle y fut, Alphonse envoya quérir des remèdes pour la soulager, et des femmes pour la servir. Lorsque ces femmes furent venues, et qu'on leur eut laissé la liberté de la mettre au lit, Consalve revint dans la chambre, et regarda cette Inconnue avec plus d'attention qu'il n'avait encore fait. Il fut surpris de la proportion de ses traits, et de la délicatesse de son visage ; il regarda avec étonnement la beauté de sa bouche, et la blancheur de sa gorge ; enfin, il était si charmé de tout ce qu'il voyait dans cette Étrangère, qu'il était près de s'imaginer que ce n'était pas une personne mortelle. Il passa une partie de la nuit sans pouvoir s'en éloigner. Alphonse lui conseilla d'aller prendre du repos ; mais il lui répondit qu'il avait si peu accoutumé d'en trouver, qu'il était bien aise d'avoir une occasion de n'en pas chercher inutilement.

Sur le matin, on s'aperçut que cette Inconnue commençait à revenir, elle ouvrit les yeux ; et comme la clarté lui fit d'abord quelque peine, elle les tourna languissamment du côté de Consalve, et lui fit voir de grands yeux noirs, d'une beauté qui leur était si particulière, qu'il semblait qu'ils étaient faits pour donner tout ensemble du respect et de l'amour. Quelque temps après il parut que la connaissance lui revenait, qu'elle distinguait les objets, et qu'elle était étonnée de ceux qui s'offraient à sa vue. Consalve ne pouvait exprimer, par ses paroles, l'admiration qu'il avait pour elle ; il faisait remarquer sa beauté à Alphonse, avec cet empressement que l'on a pour les choses qui nous surprennent, et qui nous charment [1].

La Comtesse de Tende (1718, publication posthume) : une femme coupable déchirée par les remords

L'héroïne, mariée très jeune à un homme qui ne l'aime pas et la délaisse, rencontre peu après son mariage le chevalier de Navarre, futur époux de son amie, la princesse de Neufchâtel. Malgré une passion réciproque entre le chevalier et la comtesse, le mariage est conclu. Très rapidement, le jeune marié trompe sa femme avec la comtesse. L'héroïne trahit donc tout ensemble une amie chère et un époux qui, entre-temps, cherche à se rapprocher

---

1. Mme de Lafayette, *Zayde, histoire espagnole*, dans *Œuvres complètes*, éd. C. Esmein-Sarrazin, Gallimard, « Bibliothèque de la Pléiade », 2014, p. 97-98.

d'elle. La nouvelle se termine tragiquement : le chevalier meurt au combat, et la comtesse écrit une lettre à son mari où elle lui confie qu'elle attend un enfant de son amant. La comtesse, qui dans les derniers temps de sa vie « [a embrassé] la vertu et la pénitence avec la même ardeur qu'elle avait suivi sa passion », meurt en couches en donnant naissance à un enfant mort-né.

Dans ce passage, qui rapporte le début de la liaison entre les héros, un style plus concis encore que dans *La Princesse de Montpensier* livre avec sobriété, voire avec dureté, une suite de faits, pauvre en circonstances, où l'éblouissement de la passion amoureuse va de pair avec l'agitation éperdue de l'héroïne.

> Le Chevalier la vint voir, il prit des liaisons et des mesures avec elle, mais en la voyant il prit aussi pour elle une passion violente.
>
> Il ne s'y abandonna pas d'abord, il vit les obstacles que les sentiments partagés entre l'amour et l'ambition apporteraient à son dessein, il résista mais pour résister il ne fallait pas voir souvent la Comtesse de Tende, et il la voyait tous les jours, en cherchant la Princesse de Neufchâtel : ainsi il devint éperdument amoureux de la Comtesse.
>
> Il ne put lui cacher entièrement sa passion ; elle s'en aperçut, son amour propre en fut flatté et elle sentit une inclination violente pour lui.
>
> Un jour, comme elle lui parlait de la grande fortune d'épouser la Princesse de Neufchâtel, il lui dit en la regardant d'un air où sa passion était entièrement déclarée : « Et croyez-vous Madame qu'il n'y ait point de fortune que je préférasse à celle d'épouser cette Princesse ? »
>
> La Comtesse de Tende fut frappée des regards et des paroles du Chevalier, elle le regarda des mêmes yeux dont il la regardait et il y eut un trouble et un silence entre eux plus parlant que les paroles.
>
> Depuis ce jour la Comtesse fut dans une agitation qui lui ôta le repos, elle sentit les remords d'ôter à son amie intime le cœur d'un homme qu'elle allait épouser uniquement pour

en être aimée, qu'elle épousait avec l'improbation [1] de tout le monde, et aux dépens de son élévation.

Cette trahison lui fit horreur : la honte et les malheurs d'une galanterie se présentèrent à son esprit, elle vit l'abîme où elle se précipitait et elle résolut de l'éviter, elle tint mal ses résolutions.

La Princesse était presque déterminée à épouser le Chevalier de Navarre, néanmoins elle n'était pas contente de la passion qu'il avait pour elle et au travers de celle qu'elle avait pour lui et du soin qu'il prenait de la tromper elle démêlait la tiédeur de ses sentiments.

Elle s'en plaignit à la Comtesse de Tende, cette Comtesse la rassura, mais les plaintes de Madame de Neufchâtel achevèrent de troubler la Comtesse ; elles lui firent voir l'étendue de sa trahison qui coûterait peut-être la fortune de son Amant.

Elle l'avertit des défiances de la Princesse de Neufchâtel, il lui témoigna de l'indifférence pour tout, hors d'être aimé d'elle, néanmoins il se contraignit par ses ordres et rassura si bien la Princesse de Neufchâtel qu'elle fit voir à la Comtesse de Tende qu'elle était entièrement satisfaite du Chevalier de Navarre.

La jalousie se saisit alors de la Comtesse, elle craignit que son amant n'aimât véritablement la Princesse, elle vit toutes les raisons qu'il avait de l'aimer, leur mariage, qu'elle avait souhaité lui fit horreur, elle ne voulait pourtant pas qu'il se rompît, et elle se trouvait dans une cruelle incertitude.

Elle laissa voir au Chevalier tous ses remords sur la Princesse de Neufchâtel, elle résolut seulement de lui cacher sa jalousie, et crut en effet la lui avoir cachée.

La Passion de la princesse surmonta enfin ses irrésolutions, elle se détermina à son mariage, et résolut de le faire secrètement et de ne le déclarer que quand il serait fait. La Comtesse de Tende était prête à expirer de douleur.

Le même jour qui fut pris pour ce mariage il y avait une cérémonie publique, son mari y assista, elle y envoya toutes ses femmes et fit dire que l'on ne la voyait pas et s'enferma

---

1. La désapprobation.

dans son cabinet, couchée sur un lit de repos et abandonnée
à tout ce que les remords, l'amour et la jalousie peuvent faire
sentir de plus douloureux [1].

LA PRINCESSE DE CLÈVES (1678) :
UNE « BELLE PERSONNE » QUI ÉBLOUIT
ET INTRIGUE

La princesse de Clèves se rapproche des héroïnes de
La Comtesse de Tende et *La Princesse de Montpensier*
en ce qu'elle est irrésistiblement entraînée vers un autre
homme que son mari. Cependant, elle s'en détache par
sa fidélité (elle ne trompe jamais son mari, sinon en
pensée) qui va jusqu'à l'aveu. Le prince de Clèves se
laisse dépérir et meurt lorsqu'il se croit trahi par sa
femme. La princesse, libre alors d'épouser l'homme
qu'elle aime, renonce à un amour terrestre au nom de son
« repos ». Ce refus final a étonné les lecteurs et continue
d'intriguer ceux qui cherchent à interpréter ce roman,
au point qu'on a pu le qualifier de « Joconde des lettres
françaises [2] ». Plus étendue que les nouvelles, *La Princesse de Clèves* développe la psychologie du personnage
en donnant à l'introspection une place inconnue jusque-
là dans le roman français.

Le passage qui suit est la première scène de rencontre
du roman, dans une œuvre qui en compte deux. À la
scène chez un bijoutier, lors de laquelle le prince
de Clèves découvre avec éblouissement Mlle de Chartres,
qu'il épouse peu après, fait pendant la scène de bal, au
cours de laquelle le duc de Nemours et la princesse

---

1. Mme de Lafayette, *La Comtesse de Tende*, dans *Œuvres complètes,
op. cit.*, p. 62-63.

2. Maurice Laugaa, *Lectures de Mme de Lafayette*, Armand Colin,
1971, p. 6.

de Clèves tombent amoureux l'un de l'autre. Les deux protagonistes masculins aperçoivent avec une stupeur et une attirance immédiates une personne qui, comme l'a précisé le narrateur, ne peut qu'être remarquée : « Il parut alors une beauté à la Cour, qui attira les yeux de tout le monde, et l'on doit croire que c'était une beauté parfaite, puisqu'elle donna de l'admiration dans un lieu où l'on était si accoutumé à voir de belles personnes [1]. »

> Le lendemain qu'elle fut arrivée, elle alla pour assortir des pierreries chez un Italien, qui en trafiquait par tout le monde. Cet homme était venu de Florence avec la Reine, et s'était tellement enrichi dans son trafic, que sa maison paraissait plutôt celle d'un grand Seigneur, que d'un marchand. Comme elle y était, le Prince de Clèves y arriva. Il fut tellement surpris de sa beauté, qu'il ne put cacher sa surprise, et Mademoiselle de Chartres ne put s'empêcher de rougir en voyant l'étonnement qu'elle lui avait donné : elle se remit néanmoins sans témoigner d'autre attention aux actions de ce Prince, que celle que la civilité lui devait donner pour un homme tel qu'il paraissait. Monsieur de Clèves la regardait avec admiration, et il ne pouvait comprendre qui était cette belle personne qu'il ne connaissait point. Il voyait bien par son air, et par tout ce qui était à sa suite, qu'elle devait être d'une grande qualité. Sa jeunesse lui faisait croire que c'était une fille [2], mais ne lui voyant point de mère, et l'Italien qui ne la connaissait point l'appelant Madame, il ne savait que penser, et il la regardait toujours avec étonnement. Il s'aperçut que ses regards l'embarrassaient, contre l'ordinaire des jeunes personnes, qui voient toujours avec plaisir l'effet de leur beauté : il lui parut même qu'il était cause qu'elle avait de l'impatience de s'en aller, et en effet elle sortit assez promptement. Monsieur de Clèves se consola de la perdre de vue, dans l'espérance de savoir qui elle était ; mais il fut bien surpris quand il sut qu'on ne la connaissait point : il

---

1. Mme de Lafayette, *La Princesse de Clèves*, dans *Œuvres complètes*, *op. cit.*, p. 337.

2. C'est-à-dire qu'elle n'était pas mariée.

demeura si touché de sa beauté, et de l'air modeste qu'il avait remarqué dans ses actions, qu'on peut dire qu'il conçut pour elle dès ce moment une passion et une estime extraordinaires [1] [...].

Camille ESMEIN-SARRAZIN

---

1. Mme de Lafayette, *La Princesse de Clèves*, dans *Œuvres complètes*, *op. cit.*, p. 338-339.

— *L'adaptation cinématographique de Bertrand Tavernier*

Un film, des filtres

La Princesse de Montpensier de Bertrand Tavernier, sortie sur les écrans le 3 novembre 2010, est un film d'époque. Soit. Mais laquelle ? Le XVIIe siècle, date de la nouvelle de Mme de Lafayette, l'une des premières à donner à la psychologie et aux tourments de l'âme, comme la tragédie de son temps, une représentation et un langage ? Les guerres de Religion du XVIe siècle, toile de fond de l'intrigue, conflit fratricide entre catholiques et huguenots que reflète la rivalité amoureuse entre des amis d'enfance ? Le XVIIIe siècle, époque du marivaudage, où la séduction a plutôt les allures d'un jeu de l'amour et du hasard et les sentiments un caractère bien éphémère ? Un baroque tout dix-neuviémiste, qui relira la fin de la Renaissance en prenant en compte les notions de chatoiement, de mouvement et de clair-obscur ? Notre monde contemporain, finalement, dont Tavernier et son dialoguiste Jean Cosmos reprennent les mots et expressions, et qui se caractériserait peut-être par une jeunesse refusant la responsabilité (et l'autorité) de l'âge adulte ?

Si le film est « d'époque », on le voit, il joue cependant de filtres historiques, nécessairement déformants, qui s'interposent entre l'intrigue elle-même et l'œil du réalisateur ou du spectateur. Ce feuilletage des temporalités produit d'incessants décrochages qui donnent moins le sentiment d'une aventure d'amour intemporelle que celui du caractère inactuel, intempestif pourrait-on dire, de cet amour. La passion s'y voit prise entre des âges venant se heurter dans la conscience – l'âge des enfants, où l'amour est un jeu sans conséquence, l'âge adolescent, où l'amour est une chasse narcissique, l'âge des adultes, où les mots de la morale déguisent l'intérêt de l'amour-propre...

La Princesse de Montpensier dans l'œuvre de Tavernier : des autorités prises en défaut

Bien des films de Tavernier sont « d'époque » et renvoient à des périodes de l'histoire de France. Mais l'histoire-monument (avec ses cérémonies et ses représentations figées) l'intéresse moins que l'histoire-pour-le-mouvement. Son projet n'est pas de restituer, dans sa vérité, une époque. Il prend plutôt pour point de départ la manière dont le destin des individus rencontre des crises historiques, dont les représentations (politiques, notamment) se révèlent insuffisantes pour embrasser toutes les aspirations, les désirs, les névroses, la mélancolie d'êtres qui ne « collent » pas vraiment à leur époque.

Tavernier trouve ainsi, dans l'histoire, des structures en crise, des représentations qui se délitent, des autorités dont les façades s'ébrèchent. *Coup de torchon* (1981) met en scène la revanche d'un petit flic de l'Afrique coloniale à la fin des années 1930 sur les autres colons blancs, au plus fort d'un racisme d'État qu'il en vient à ne plus supporter. *Que la fête commence* (1975), inspiré par le mémorialiste Saint-Simon, fait le portrait du régent Philippe d'Orléans, perdu de nostalgie au milieu d'une aristocratie libertine que la noblesse de l'ouest de la France conteste pour son embourgeoisement et qui cède, finalement, au système de Law et à sa tentation de l'argent.

Dans *La Vie et rien d'autre* (1989), deux femmes partent en quête, l'une de son mari, l'autre de son amant, tous deux disparus après la Première Guerre mondiale ; elles ne rencontrent qu'un commandant rude qui hésite à entretenir leur espoir, tandis que partout on s'affaire pour mettre un corps dans la tombe du soldat inconnu. Enfin, *Capitaine Conan*, réalisé en 1996 d'après le roman de Roger Vercel paru en 1934, montre également un conflit : un capitaine guerrier se heurte à la double autorité que représentent les deux adultes symboliques du film, le commissaire-rapporteur Norbert et le lieutenant de Scève.

On peut donc avancer l'idée que le cinéma de Tavernier, et *La Princesse de Montpensier* à l'intérieur de ce cinéma, ne restitue les éléments historiques que pour révéler la fragilité de leurs représentations : il n'est nul modèle, nulle source, nulle autorité qui ne puisse faire l'objet d'une émancipation. Aucune structure (symbolique, politique, sociale) ne peut satisfaire les aspirations des êtres. L'individu ne coïncide pas avec les cadres ou les codes que lui offre son époque, et c'est de là que surgit le drame de la conscience historique.

Cette irrévérence à l'égard des autorités prend dans *La Princesse de Montpensier* la forme d'une malice à l'égard de Mme de Lafayette, dans la séquence où la princesse de Montpensier, appelée Marie dans le film, monte un escalier de pierre au-dessus duquel on peut lire, gravées, les lettres « VERTV POVR GVIDE », qui sonnent comme le « slogan » de l'auteur de *La Princesse de Clèves* : Marie les voit-elle ? Le spectateur a-t-il lui-même le temps de les voir ? Comme Charles IX, le roi malade que l'on entend simplement tousser sans jamais le voir, les autorités semblent frappées d'inconsistance. Tavernier rejoint alors Mme de Lafayette dans la liberté qu'elle savait déjà prendre avec l'histoire, elle qui utilisait la deuxième guerre de Religion et la Saint-Barthélemy comme cadres historiques, mais insufflait au destin de ses protagonistes une passion et un conflit psychologique propres à la tragédie et au roman du XVIIᵉ siècle. Le réalisateur, lui, parvient à s'émanciper de cette autorité qu'est Mme de Lafayette, en montrant non le conflit entre amour et vertu, mais la situation de l'amour dans le passage à l'âge adulte, sa « prise au sérieux ».

Une œuvre à investir : combler les blancs, ouvrir les sens

Tavernier n'a pas fait du texte une autorité sacrée. Par souci de vraisemblance, il s'est permis des modifications notables ; le style même de l'auteur, qui multiplie les ellipses, les litotes et les abstractions du lexique sentimental, appelait Tavernier et Cosmos à combler certains silences du texte. Par exemple, Mme de Lafayette n'explicitait pas le revirement spirituel de Chabannes pendant la guerre. Elle écrivait simplement que le comte « avait été si sensible à l'estime et à la confiance de ce prince, que, contre tous ses propres intérêts, il abandonna le parti des huguenots, ne pouvant se résoudre à être opposé en quelque chose à un homme qui lui était si cher » (p. 42). Pour mettre en images ce revirement, Tavernier pense alors au western :

> Aujourd'hui, cette raison de changer de camp reste vague, abstraite, proche du roman courtois. Or il s'agit là d'une décision qui expose celui qui la prend à se voir rejeté par les deux camps. Le cinéma et notamment le western peuvent aider à mesurer la violence d'un acte comparable au passage, pendant la guerre de Sécession, d'un Nordiste dans le camp des Sudistes, ou le contraire. [...] Didier Lefur [1] m'a parlé de

---

1. Historien spécialiste de la Renaissance, que Bertrand Tavernier a consulté pour préparer l'adaptation de *La Princesse de Montpensier*.

trois actes qui sont un peu les équivalents des "crimes de guerre" d'aujourd'hui : la destruction d'un four à pain, la destruction d'une charrue et le meurtre d'une femme enceinte. Les trois actes pouvaient conduire leur auteur à la potence. J'ai tout de suite pensé au meurtre de la femme enceinte ; c'est cet acte infâme qui détermine son destin. J'avais le début du film [1].

À l'autre bout du film, refuser la mort de Marie telle que l'avait pensée Mme de Lafayette, empreinte de la morale rigoriste des catholiques jansénistes, change le sens global de l'œuvre. Elle n'est plus marquée du sceau de la *catharsis* morale des tragédies du XVIIe siècle, mais permet une interrogation sur ses significations possibles, correspondant à ce que la critique littéraire contemporaine nomme *ouverture* de l'œuvre. Tavernier écrit à ce sujet, en faisant référence à la mort de la princesse à la fin de la nouvelle : « Mme de Lafayette lui refuse le péché de chair, pourtant elle la punit, la marque d'un sceau moralisateur, alors que Marie a essayé d'être vertueuse (elle l'est dans la nouvelle) et prudente. Pourquoi la condamner une deuxième fois ? J'ai souhaité une fin ouverte, où elle retrouve Chabannes, pour laisser le spectateur libre de son jugement [2]. »

L'EXISTENCE AU LIEU DE LA PASSION : LE MODÈLE DU WESTERN

Au moment du projet de *La Princesse de Montpensier*, Tavernier sortait à peine de l'univers de la Louisiane du

---

1. Bertrand Tavernier, avant-propos de *La Princesse de Montpensier : un film de Bertrand Tavernier, suivi de la nouvelle de Mme de Lafayette, op. cit.*, p. 11-12, et *infra*, p. 128.
2. *Ibid.*, p. 17-18, et *infra*, p. 133.

romancier américain James Lee Burke, dans lequel il s'était plongé pour *Dans la brume électrique*, sorti en février 2009. Il a d'ailleurs retravaillé avec le même cadreur, Chris Squires, pour *La Princesse de Montpensier*. On ne s'étonnera donc pas d'y trouver beaucoup plus de plans en extérieur que la lecture de la nouvelle pourrait nous le faire imaginer. Tandis que Mme de Lafayette semble peu sensible aux espaces, qui sont souvent domestiques ou intérieurs mais évoqués de manière vague ou abstraite, Tavernier, lui, avoue « adore[r] trouver des extérieurs stimulants sur le plan dramatique et qui renvoient aux états d'âme et aux émotions des personnages [1] ». De là le sentiment, qui se dégage souvent du film, d'un élan des êtres, plus *existentiel* que *passionnel*. On songe en effet, en regardant *La Princesse de Montpensier*, à ces westerns que Tavernier prend pour modèles, ceux du réalisateur américain John Ford notamment (*La Chevauchée fantastique*, *La Prisonnière du désert*). Les grands espaces y sont la restitution d'un point de vue, la pulsion d'exploration du pionnier ou du cavalier, soumise à un désir ou à un besoin de liberté. L'affect y a peu de place ; c'est plutôt un espace singulier que recherche le protagoniste, un lieu d'autonomie, où il puisse se donner ses propres lois. Tavernier fut dans sa jeunesse attaché de presse, et il eut à faire la promotion de films comme *Pierrot le fou* ou *La Horde sauvage*. Ces œuvres manifestaient la même aspiration existentielle que celle, dans des genres différents, de la Nouvelle Vague et du western : explorer l'existence, être un pionnier du renouveau plutôt qu'un analyste de l'âme, repousser les bornes de la jeunesse comme on repousse celles du Far West, refuser les limites de la carte du Tendre...

---

1. Entretien avec Bertrand Tavernier, reproduit dans le dossier de presse de *La Princesse de Montpensier*, p. 10.

Dans *La Princesse de Montpensier*, les cavalcades ne manquent pas, et l'on a soin des chevaux, dont il faut dompter la fougue. Par exemple, Marie jette un premier regard sur Chabannes à travers la vitre du carrosse qui file, tandis que le comte galope à son côté. À la fin du film, le prince, envahi par la jalousie, épuise son cheval pour rentrer au galop jusqu'au château. L'intérêt de cette séquence tient cependant à ce vaste plan dans lequel on aperçoit à peine le prince tombant en même temps que sa monture. Une question plus vaste est soulevée, que l'interprétation du personnage par Grégoire Leprince-Ringuet exprime tout au long du film (il baisse souvent le regard et la voix, et avoue d'ailleurs sa jalousie de manière paradoxalement apathique) : le prince est-il un homme passionné ou un enfant gâté par le destin, qui échoue à faire preuve d'autorité ? Même mû par son honneur et son amour, il ne parvient pas à régler le mouvement des autres, qui provoquent son élan et l'entravent tout à la fois : à l'image de son cheval, sa fougue s'épuise et s'abat.

À cet esprit western il fallait une musique qui ne ressemblât pas à celle de la Renaissance, mais qui en transposât l'esprit, celui de la conquête de la *terra incognita* comme de celle de la foi. Pour cela, Philippe Sarde, compositeur de la bande originale du film, privilégie les percussions aux cordes. Bertrand Tavernier a ainsi expliqué :

> Je ne voulais surtout pas d'une fausse musique XVIᵉ siècle. Et même si Philippe Sarde s'est inspiré dans deux titres de compositeurs de l'époque, comme Roland de Lassus, nous souhaitions que l'orchestration et les harmonies de la musique soient très modernes, en utilisant beaucoup de percussions. Du coup, il a travaillé avec une formation originale composée de trois musiciens baroques, quatre trombones, sept contrebasses et violoncelles, et cinq percussionnistes – mais pas de violons [1].

---

1. *Ibid.*

LA PRINCESSE DE MONTPENSIER, ÉPOPÉE DE LA JEUNESSE

Outre le western, on pourrait évoquer un autre modèle américain, le *teen movie*. Par ce terme, il ne faut pas comprendre les comédies adolescentes récentes, mais les films sur la jeunesse, plus sombres, des années 1950, pour lesquels l'adolescence est moins une régression qu'une révolte. Dans ces films, les acteurs Marlon Brando et James Dean crèvent l'écran par l'insolence de leur beauté et de leur jeunesse ; dans *L'Équipée sauvage*, réalisé par László Benedek en 1953, les chevauchées ne se font plus sur des coursiers lancés au galop, mais sur des motos au moteur ronflant ; dans *La Fureur de vivre*, réalisé par Nicholas Ray en 1955, l'on fait moins la cour que la course. Westerns de la modernité, ces œuvres cinématographiques ne font de l'amour ni une passion ni une aspiration. Comment l'amour pourrait-il être un véritable bouleversement, alors que l'être tout entier est déjà pris dans une crise contre l'ordre, contre l'autorité, contre les modèles, contre l'âge adulte ?

Dans *La Princesse de Montpensier*, cette crise à l'égard du parent ou du modèle est structurante, et l'autorité manque souvent de crédibilité. Ainsi, le duc d'Anjou, que l'on voit recevoir des leçons de polonais avec une grande désinvolture, ne parvient pas à faire preuve d'autorité quand il réprimande Guise et le prince de Montpensier. Chabannes est un précepteur trop nostalgique de la jeunesse pour ne pas se laisser séduire par Marie. Montpensier père n'est pas affecté par la mort de sa femme, mais songe avec légèreté à se faire beau pour épouser une femme aussi jeune que sa bru, perturbant ainsi les classes d'âge. D'ailleurs, Mézières, le père de l'héroïne, a l'air beaucoup trop bonhomme pour battre sa fille, et les deux pères jouent aux échecs lorsqu'on leur apporte le drap portant la marque de la défloration de Marie le soir de ses noces. Même la reine Catherine de Médicis, engoncée dans sa robe comme dans son trône, perspicace dans ses analyses astrologiques, est entourée de bambins assis comme un décor, et inattentive à ses propres enfants. On a beau crier, réprimander, battre, hurler, prédire, savoir… est-on jamais vraiment adulte dans *La Princesse de Montpensier*, même quand on est parent ?

INCARNER LA RENAISSANCE : FILMER LA PEAU

Il faudrait convoquer un dernier modèle cinématographique, en guise d'hommage : *La Reine Margot*, de Patrice Chéreau. L'œuvre montrait les guerres de Religion avec le macabre d'Agrippa d'Aubigné, auteur au XVIIᵉ siècle – mais largement redécouvert au XIXᵉ siècle – d'un long poème consacré aux malheurs subis par les protestants, *Les Tragiques*. Une sensualité malsaine, prêtée notamment aux puissantes familles catholiques par Agrippa d'Aubigné, avait inspiré à Chéreau une attention à la chair, aux pulsions et aux désirs physiques, qui prenaient le pas, dans *La Reine Margot*, sur les tourments de l'âme et la tragédie d'honneur.

Il en va de même de la sensualité dans *La Princesse de Montpensier*, selon un filtre assurément moins sombre que celui choisi par Chéreau. Être au plus près de la jeunesse signifie multiplier les mouvements et les effets d'approche de la caméra (grâce au système stabilisateur *steadicam*) vers les peaux claires, faire ressortir la pâleur et la fraîcheur de la carnation. Tavernier, d'ailleurs, n'a pas hésité à montrer la nudité et la sexualité, passées sous silence par Mme de Lafayette. C'est une liberté prise avec le texte de la nouvelle, dans laquelle, comme l'écrit le réalisateur : « Marie et Guise ne font pas l'amour. Or il me semblait que la tension sexuelle et amoureuse, en creux dans leurs rapports, devait se résoudre. Sinon le ton risquait de paraître moralisateur ou abstrait [1]. » Pour souligner la perfection lisse du grain de peau et en montrer toute l'importance, il fallait en outre des costumes aux couleurs sombres ou profondes, se détachant eux-mêmes sur des fonds souvent surexposés. Tavernier dit ainsi, à ce sujet : « Avec le chef opérateur, Bruno de Keyzer, nous avons privilégié la peau et les yeux des comédiens, la texture des magnifiques costumes de Caroline de Vivaise, pour capter les sentiments à travers la lumière [2]. » Ensemble, ils ont ainsi réalisé ce qu'ils appellent « un film biologique [3] ».

Un jeu d'enfants ?

Dans *La Princesse de Montpensier*, on joue à la guerre et à l'amour comme on se chamaillait enfant, on est jaloux comme on était vexé, on y met le même sérieux, auquel manque parfois la crédibilité de l'âge adulte. On se fait donner des leçons par des personnages aussi enfants que soi, et on voudrait continuer à parler sans que les paroles n'aient de conséquence. Au conflit moral d'une classe sociale (le combat aristocratique de la vertu contre la passion), Tavernier substitue les tensions psychologiques d'une classe d'âge prise dans la nécessité de jouer le jeu des adultes.

Seul adulte égaré dans ce jeu d'enfants, le comte de Chabannes a l'expérience de l'âge, mais le regrette. Il sait,

---

1. Bertrand Tavernier, avant-propos de *La Princesse de Montpensier*, *op. cit.*, p. 16, et *infra*, p. 132.
2. Entretien avec Bertrand Tavernier, *op. cit.*, p. 8.
3. *Ibid.*, p. 6.

voit, conçoit, perçoit ; mais il voudrait ne pas savoir. Il est passé par les deux camps, par toutes les sciences, par les humanités. Il connaît le monde, les astres, les plantes, le corps, l'homme, la femme. Il sait disséquer, de son regard comme de ses mains, ainsi que le montre cette séquence où on le voit découper un sanglier selon les articulations. Il ne souffre pas d'être trop vieux pour cueillir la rose qu'est Marie ; il souffre d'être seulement un adulte et de se sentir responsable de ses mots comme de ses actes. Il est, comme l'ont voulu Jean Cosmos et Bertrand Tavernier, une figure d'humaniste, d'homme complet, modelée sur l'homme de la Renaissance. Mais son visage et ses soupirs en font apparaître le revers : une certaine douleur de la sagesse, une souffrance à savoir, le regret de ne plus appartenir à l'âge de la révolte. Lambert Wilson, qui incarne le comte de Chabannes, a un port de danseur même lorsqu'il chevauche ou herborise, et sa grâce ne l'empêche pas de montrer toute la douleur qu'il peut y avoir à faire son deuil de la jeunesse, à rebours de ce que son humanisme devrait lui enseigner de stoïcisme.

Il faudrait dire enfin un mot de l'interprétation des acteurs qui jouent ce jeu de l'amour et de la guerre. Tavernier dit avoir beaucoup pensé, pendant les huit semaines de tournage, à ce que décrivait le réalisateur britannique Michael Powell face à ses acteurs : « Les mots ne sont plus un écran derrière lequel se cache l'auteur, ils sont devenus un instrument de musique sur lequel l'acteur joue un air fascinant. Nous prenons conscience d'une qualité de joie et de souffrance humaine que nous ignorions et n'avions jamais soupçonnée [1]. » Dans *La Princesse de Montpensier*, chaque acteur lie son personnage à un ton, ce qui contribue à l'unité de cet

---

[1]. Michael Powell, cité dans l'entretien avec Bertrand Tavernier, *op. cit.*, p. 6.

« air fascinant ». Lambert Wilson (le comte de Chabannes) n'abandonne jamais ce ton supérieur et faussement désabusé par lequel il cherche inlassablement à se faire aimer. Mélanie Thierry (Marie de Montpensier) joue l'ensemble de son rôle avec une voix espiègle, sans articuler toutes les syllabes, comme une adolescente qui peut continuer à parler en s'esclaffant ou en pleurant. Gaspard Ulliel (le duc de Guise) choisit des intonations arrogantes, ne prenant pas plus la peine de parler fort que de s'impliquer sentimentalement dans ce qu'il dit. Raphaël Personnaz (le duc d'Anjou) a le ton du cynique perspicace, conscient de la vanité de tout discours. Grégoire Leprince-Ringuet (le prince de Montpensier), les yeux au sol et la voix basse, voudrait avoir de l'énergie pour articuler ses paroles comme pour vivre d'amour et d'honneur, mais n'est pas à la hauteur de ce désir.

Cette unité de ton, qui ne quitte pas les personnages, instaure chez eux une continuité au cours du passage critique à l'âge adulte qu'ils traversent. C'est tout à la fois la marque de leur nature (leur intonation et leur phrasé les identifient et leur « collent à la peau ») et l'indice de leur jeu (postures d'adolescents et artifices de comédiens). L'adolescence et le jeu ont ceci de commun qu'ils mobilisent des aspirations contradictoires : s'accommoder et se singulariser, imiter et dépasser, suivre et transgresser. Le film ne restitue peut-être pas la gravité du conflit entre vertu et passion qui irriguait la nouvelle de Mme de Lafayette, mais nous rend sensibles à un autre drame. Comme les jeux sont choses sérieuses, et parfois tragiques !...

Jean-Damien MAZARÉ

ADAPTER MME DE LAFAYETTE :
LE REGARD DE BERTRAND TAVERNIER

Il se trouve que je n'ai pas abordé *La Princesse de Montpensier* de front, mais via une première adaptation signée François-Olivier Rousseau, écrite à la demande du producteur Éric Heumann. C'est par le filtre de cette interprétation que j'ai rencontré un monde et des personnages qui m'ont tout de suite touché, même si la conduite du récit me posait des problèmes. J'ai commencé à rêver sur des scènes qui me paraissaient riches en possibilités dramatiques, notamment celles qui décrivaient les rapports amoureux entre Henri de Guise et Marie de Mézières, entre Philippe de Montpensier et sa très jeune épouse. Ou sur l'itinéraire moral de Chabannes, car le personnage devenait le pivot de l'histoire ; mêlé à toutes les intrigues, il en était le témoin, l'acteur, y participait parfois malgré lui. Ce n'est qu'après plusieurs lectures de ce scénario que je me suis plongé dans la nouvelle.

J'ai découvert alors en Marie un personnage très différent de celui que j'avais aperçu. Moins passif, moins, pour reprendre une définition d'Éric Heumann, « femme fatale ». La Marie de Mme de Lafayette est un être déchiré entre ses devoirs, son éducation, sa loyauté à un mari qu'on lui impose et sa passion amoureuse. Je me suis arrêté sur une phrase de la nouvelle :

Mlle de Mézières, tourmentée par ses parents, voyant qu'elle ne pouvait épouser M. de Guise et connaissant par sa vertu qu'il était dangereux d'avoir pour beau-frère un homme qu'elle souhaitait pour mari, se résolut enfin d'obéir à ses parents et conjura M. de Guise de ne plus apporter d'opposition à son mariage.

Un mot en particulier m'a saisi : « tourmentée ». Qu'entendait par là Mme de Lafayette ? Des historiens, notamment Didier Lefur, à qui j'ai posé la question, m'ont répondu que « tourmentée » signifiait « torturée » et qu'alors les lecteurs entendaient ce mot dans toute sa force et sa violence. Je me suis souvenu que ce terme était utilisé dans des textes religieux du Moyen Âge pour décrire les horreurs de l'Enfer. Marie avait donc pu être battue, frappée, menacée d'être enfermée dans une prison, ou plus sûrement dans un couvent. Lefur m'a ainsi raconté que la sœur de Philippe de Montpensier, qui s'était opposée au mariage que ses parents avaient arrangé, avait été envoyée au couvent.

Le mot « tourmentée » signifiait donc que Marie avait d'abord farouchement refusé ce projet de mariage. Ce qui avait été omis dans la première adaptation. Le personnage devenait alors bien plus rebelle, plus fort, plus fier que je ne l'avais imaginé. Cette révélation m'a permis d'entrevoir la couleur, l'état d'esprit, la tessiture de Marie. Cela me donnait un point de départ. J'allais bientôt saisir la tonalité, comme dans un morceau de musique. La très jeune fille que décrit Mme de Lafayette est prisonnière de sa caste, de traditions, de coutumes qui ne lui confèrent pas plus de droits, malgré son rang, que n'en a aujourd'hui une jeune fille née dans une famille religieuse fondamentaliste turque, yéménite ou hindoue. En un mot, je commençais à « voir » le personnage, je détenais là une première clé de lecture de la nouvelle.

La deuxième clé, je l'ai repérée en découvrant l'extrême jeunesse des personnages. Voilà qui changeait la donne. L'histoire prenait une urgence et une énergie incroyables. J'avais affaire à des gamins qu'on lançait dans la vie sans les y avoir vraiment préparés, sinon à faire la guerre et à tenir leur rang. Le personnage de Philippe de Montpensier tel que l'incarne Grégoire Leprince-Ringuet devenait moins un mari jaloux – cliché pesant – qu'un jeune homme démuni affectivement, qui tombe peu à peu fou amoureux de sa femme mais se révèle incapable de trouver les mots et les gestes qui conviennent. Guise, sous les traits de Gaspard Ulliel, n'est pas un simple prédateur. Je le crois sincère dans son amour, au moins par intermittence. Shakespeare donne toujours raison aux personnages les plus odieux au moins le temps qui leur est nécessaire pour se justifier. Enfin, vu son âge, Anjou (joué par Raphaël Personnaz) n'est pas seulement un cynique qui dissimule son goût du pouvoir derrière sa culture et son ironie, mais un général courageux, un homme capable de brusques élans de sincérité. Nous restait à respecter ces passions que décrivait Mme de Lafayette, à suivre leur progression, mais aussi à mettre à nu ces émotions, à en trouver le sens, les racines, la vérité profonde, charnelle.

*

Nous nous sommes mis, Jean Cosmos et moi, à décrypter ce texte si extraordinaire de limpidité, de pureté, de dépouillement : il faut repérer ce que l'auteur a caché entre les phrases et derrière les mots, il faut repérer aussi ce que ces mots, tels que nous les entendons aujourd'hui, nous cachent. Certaines tournures nous semblent extrêmement policées, mais elles n'étaient pas comprises ainsi par les premiers lecteurs.

Il fallait donc oublier certains filtres ou, au contraire, en tenir compte pour écrire et modifier des scènes. Mme de Lafayette écrivait, à une époque puritaine (on commençait à ajouter des feuilles de vigne aux statues, on vivait à l'école des précieuses et du jansénisme), une histoire qui se déroulait un siècle plus tôt. Au XVIe siècle, les mœurs étaient très différentes de ce qu'elles étaient devenues pour elle et ses contemporains : ainsi, le rapport à la nudité et les règles de duel, entre autres, n'étaient pas les mêmes. (Alexandre Dumas précise que, les duels étant de plus en plus sévèrement réprimés sous Louis XIII, les codes qu'ils devaient suivre devenaient de plus en plus sauvages.)

Les ellipses permettent à Mme de Lafayette de ne pas prendre parti sur des questions, religieuses notamment, qui étaient très présentes à l'esprit de ses lecteurs. Parmi les ellipses auxquelles nous sommes confrontés, l'auteur écrit que le comte de Chabannes « avait été si sensible à l'estime et à la confiance de ce prince, que, contre tous ses propres intérêts, il abandonna le parti des huguenots, ne pouvant se résoudre à être opposé en quelque chose à un si grand homme et qui lui était si cher ». Aujourd'hui, cette raison de changer de camp reste vague, abstraite, proche du roman courtois. Or il s'agit là d'une décision qui expose celui qui la prend à se voir rejeté par les deux camps. Le cinéma et notamment le western peuvent aider à mesurer la violence d'un acte comparable au passage, pendant la guerre de Sécession, d'un Nordiste dans le camp des Sudistes, ou le contraire. Il fallait donc préciser dans un prologue les raisons qui conduisent Chabannes à abandonner la guerre. D'où la question de savoir ce qui, chez un être comme lui, à la fois guerrier, homme cultivé, d'une grande finesse d'esprit, courageux et profondément humaniste, déclenche un sentiment de honte si fort qu'il renonce à se battre. Didier Lefur m'a parlé de trois actes qui sont un peu les équivalents des « crimes de guerre » d'aujourd'hui : la destruction d'un four à pain, la destruction

Du texte à l'écran :
trouver «la couleur de Marie»

▲ **26 min 54 sec**.
Après la nuit de noces de Marie et Philippe, une duègne à la mine réjouie présente à leurs deux pères le drap taché de sang.

▶ **48 min 34 sec**.
Chabannes vient de
déclarer son amour
à Marie (Mélanie Thierry).
Mais cueillir les roses
de la vie, comme nous
l'enseigne Ronsard,
n'est déjà plus de son âge.

◄ 43 min 15 sec.
Malgré les combats à l'épée
au premier plan, l'atmosphère
et les fumées d'explosifs
évoquent une scène de film
de guerre moderne.

▶ **53 min 45 sec**. Chabannes (Lambert Wilson) essuie avec de l'herbe le sang sur ses mains. Dès lors, son discours sur la foi n'en paraît que moins crédible.

◄ 1h30 min 40 sec.
Le duc d'Anjou
(Raphaël Personnaz)
fait la leçon à Guise
(Gaspard Ulliel) et à Montpensier
(Grégoire Leprince-Ringuet).
Pourtant, trop jeune
et lui-même amoureux,
il a peu de crédit à leurs yeux.

▶ **1h48 min 35 sec**.
Chabannes intercède
auprès de Marie en faveur
de Guise. Derrière lui,
une tapisserie représente
Psyché avec un poignard,
cherchant à découvrir
qui est Éros.

◀ 1h34 min 35 sec.
Malgré les remarques perspicaces
de la reine, Marie accueille encore
avec espièglerie les caresses
de son amant.

▲ **2h04 min 29 sec**.

Le prince de Montpensier épuise son cheval en regagnant son château. Est-il à la hauteur de sa passion pour Marie ?

d'une charrue et le meurtre d'une femme enceinte. Les trois actes pouvaient conduire leur auteur à la potence. J'ai tout de suite pensé au meurtre de la femme enceinte ; c'est cet acte infâme qui détermine son destin. J'avais le début du film.

Pour que le film se construise, je sentais qu'on devait contourner certaines impasses que la langue de Mme de Lafayette a dispersées dans la nouvelle. Ainsi n'est-il pas fait mention de la nuit de noces. Par pudeur, par respect de l'esprit de son temps, l'auteur ne s'y arrêtait pas mais, pour nous, cette scène est aujourd'hui essentielle : il est nécessaire que nous sachions ce qui va se passer entre une jeune fille et un jeune homme qui, avant de se retrouver dans le même lit, se sont à peine entrevus. J'ai appris que les nuits de noces étaient alors, dans ces familles nobles, publiques – que la première pénétration devait être publique. Il fallait s'assurer qu'on ne vous avait pas « refilé » une marchandise avariée. Pardon pour la vulgarité de l'expression, mais elle traduit des sentiments, des faits qui ont causé des désastres lors de nombreuses nuits de noces royales. Ces jeunes gens se trouvaient soumis à une pression, à une violence extrêmes. Ils ont grandi dans une sorte de désert affectif (il n'est que de voir leurs parents), ne sont en rien préparés au destin qu'on leur impose, ce qui les rend profondément touchants et attachants.

L'adaptation devait avant tout chercher la signification réelle des expressions, donc celle des scènes, pour les traduire de manière concrète. Le mot « tourmentée » que j'ai cité nous a fait écrire cinq ou six séquences – dont le dîner, la nuit de noces et le départ le lendemain matin. Une séquence entière – celle qui précède la cérémonie, entre Guise et Marie – est née de la seule indication de Mme de Lafayette : « [Elle] conjura M. de Guise de ne plus apporter d'opposition à son mariage. » De même le dialogue avec la marquise de Mézières nous a été suggéré par ces lignes : « et connaissant par sa vertu qu'il était dangereux d'avoir pour beau-frère un homme qu'elle souhaitait pour mari, [elle] se résolut enfin d'obéir à ses parents ». Dans cet instant qui réunit la mère et la fille, j'ai introduit une phrase que Mme de Lafayette a écrite dans une lettre à son ami Ménage : « L'amour est la chose la plus incommode du monde. Et je remercie le ciel tous les jours qu'il nous ait épargné cet embarras à votre père et à moi... » Autre exemple : « Les choses étaient en cet état, lorsque la maison de Bourbon, qui ne pouvait voir qu'avec envie l'élévation de celle de Guise, s'apercevant de l'avantage qu'elle recevrait de ce mariage, se résolut de le lui ôter et de se le procurer à elle-même en faisant épouser cette héritière au jeune prince de Montpensier. » Cette phrase est à l'origine de la scène où le duc de Montpensier convainc le marquis de Mézières de briser sa promesse. J'ai demandé à Didier Lefur quels types d'arguments Montpensier pourrait utiliser pour arracher une telle forfaiture. Lefur m'a aussitôt répondu qu'il opposerait la noblesse française traditionnelle, avec qui l'on peut s'entendre, à ces « étrangers » qu'étaient les Guise. Et Jean Cosmos d'utiliser brillamment cette idée dans le dialogue.

Nous avons enfin retiré tout ce qui dans les dialogues sonne alambiqué ou précieux, comme « Ah ! c'est trop, il faut que je me venge, [...] et puis je m'éclaircirai à loisir ! » ou « Ôtez-moi la vie vous-même, [...] ou tirez-moi du désespoir où vous me mettez ! ». Mais, je le répète, nous avons respecté toutes les émotions, tous les retournements auxquels ces phrases renvoient.

Pour comprendre le texte, il était donc indispensable de laisser de côté certaines conventions stylistiques ou narratives dues à l'époque où il fut écrit. Il en est de même pour les films anciens : ils peuvent comporter trop de musique, les extérieurs en studio peuvent être trop voyants, défauts superficiels qui masquent pour certains spectateurs les qualités profondes de l'écriture filmique, sa vraie modernité. Ce ne sont que des détails qui oblitèrent ce qui compte vraiment. Mais, si l'on distingue le vernis de l'invention, de la beauté du trait, du dessin, on peut éprouver alors une véritable émotion et apprécier tout ce qu'elle exprime de profondément moderne.

*

L'adaptation filmique a exigé plusieurs changements majeurs. Mme de Lafayette situe l'épisode de la méprise, au cours de laquelle Marie parle à Anjou en croyant s'adresser à Guise, pendant un grand bal où tous les danseurs (dont les deux amoureux de Marie) portent un costume identique. Cela me posait des problèmes énormes. En agissant ainsi au milieu d'une foule, au vu et au su de tout le monde (même s'il y avait des paravents et des piliers), Marie risquait de passer pour une écervelée. Tout le monde ayant le même costume, pourquoi ne s'assurait-elle pas de l'identité de l'homme à qui elle murmurait son message ? J'avais bien conçu une mise en scène reposant sur le principe de bonneteau, avec, lors d'un détournement du regard, substitution d'acteurs. Mais elle paraissait futile et l'intrigue prenait le pas sur les personnages.

Quand on a dû réduire le budget, Frédéric Bourboulon m'a suggéré de supprimer le bal. Et ce fut l'illumination. Il fallait déplacer ces scènes dans les coulisses du bal, parmi les jongleurs, les musiciens, les convives, tous ceux qui se préparent à entrer dans la salle principale : Marie, qui vient de danser, n'a pas eu le temps de s'apercevoir que les participants au ballet suivant – Anjou et ses mignons, Guise – sont tous déguisés en Maures. Elle n'a vu que Guise, qu'elle veut rejoindre dans une pièce voisine pour l'inciter à se méfier de son mari. Mais elle tombe sur un autre Maure, Anjou, qui devient le confident involontaire de son amour.

Le scénario me paraît ici plus juste, plus inventif que la nouvelle (Mme de Lafayette ne s'attachait pas du tout aux problèmes de la vraisemblance), moins soumis à la dictature de l'intrigue. Et le tournage dans ces petites pièces, ces corridors, ces escaliers m'a inspiré ce découpage haletant, ces mouvements d'appareil rapides, ces changements d'axes qui imitent le mouvement intérieur des personnages.

La deuxième modification tient au fait que, dans la nouvelle, Marie et Guise ne font pas l'amour. Or il me semblait que la tension sexuelle et amoureuse, en creux dans leurs rapports, devait se résoudre. Sinon le ton risquait de paraître moralisateur ou abstrait. Par ailleurs, j'ai découvert dans l'appareil critique de mon ouvrage que Mme de Lafayette est partie d'une histoire réelle où Guise avait fait un enfant à la femme dont elle s'est inspirée pour le personnage de Marie de Montpensier. J'ai pensé un moment utiliser cette anecdote, mais Jean Cosmos la trouvait trop convenue, trop attendue, orientant vers le mélodrame. Simplement, Mme de Lafayette avait édulcoré la réalité. C'est d'ailleurs ce que lui reprochent ses détracteurs, tel Charles Dantzig, et c'est là le seul aspect de la nouvelle qui me gênait vraiment. À l'image de *La Princesse de Clèves*, *La Princesse de Montpensier* a été conçue comme une œuvre à thèse pour prévenir les jeunes filles et femmes des dangers de l'amour – ce que souligne Bernard Pingaud, grand exégète de ces chefs-d'œuvre.

Je voulais gommer cette dimension de thèse, cette volonté moralisatrice. Et, en corollaire, j'ai refusé de faire mourir Marie à la fin. En fait, je conteste la formulation de la dernière phrase de la nouvelle : « Elle mourut en peu de jours, dans la fleur de son âge, une des plus belles princesses du monde, et qui aurait été sans doute la plus heureuse si la vertu et la prudence eussent conduit toutes ses actions » (p. 80). Mme de Lafayette lui refuse le péché de chair, pourtant elle la punit, la marque d'un sceau moralisateur, alors que Marie a essayé d'être vertueuse (elle l'est dans la nouvelle) et prudente. Pourquoi la condamner une deuxième fois ? J'ai souhaité une fin ouverte, où elle retrouve Chabannes, pour laisser le spectateur libre de son jugement.

Le troisième changement regroupe quelques ajouts, en premier lieu le désir qu'éprouve Marie d'apprendre à écrire. Donner au personnage ce désir d'apprendre, cette volonté de s'ouvrir au monde me semblait une idée belle et forte. Surtout, j'ai songé à Mme de Lafayette elle-même, au moment où elle commence à écrire, à jeter les ébauches de ses premiers textes. Elle se trouvait alors un peu dans la situation de son personnage, en position de provoquer le scandale, ce qui explique d'ailleurs que, dans un premier temps, elle ne signe pas ses écrits. Leur attitude, à l'une et à l'autre, indigne à chacune de leurs époques.

Un dernier ajout porte sur la mort de Chabannes, laquelle survient de manière accidentelle, fortuite dans la nouvelle. Je trouvais que Chabannes méritait mieux. Pris dans un massacre, il a la possibilité de s'échapper mais, apercevant une femme enceinte poursuivie par les tueurs, il voit l'occasion de racheter son péché. J'aime les personnages qui choisissent leur destin : la scène transforme Chabannes en vrai personnage tragique. Et Lambert Wilson l'incarne de manière bouleversante.

*

La nouvelle elle-même me frappe par le sens de la progression dramatique qui porte l'écriture. Pour donner corps à ses personnages, Mme de Lafayette se passe des artifices habituels disposés jusqu'alors par les écrivains, les confidents notamment, et ne livre que des faits et des sentiments : en cela, le texte est révolutionnaire. Grâce à une fluidité narrative admirable, elle se permet certaines libertés historiques assez étranges : elle invente une histoire en mêlant des personnages parfois fictifs ou transposés (Chabannes et Marie) à des figures historiques appartenant à un passé relativement proche, tout en brodant librement sur la vie des seconds. Ainsi marie-t-elle Guise et Mme de Noirmoutiers, qu'il n'a jamais épousée. En 1662, les noms de Guise et d'Anjou ne sont pas seulement très célèbres, ils sont encore sur toutes les lèvres et l'on cherche la raison de ces approximations.

Jusqu'à présent, les personnages des contes et des romans appartenaient souvent à des univers créés de toute pièce, comme chez Rabelais, ou à des mondes plus lointains. Sous le couvert de l'Histoire, Mme de Lafayette nous parle de son époque, de son temps. En cela également *La Princesse de Montpensier* apparaît comme le précurseur du roman d'amour psychologique, mais aussi des grands romans historiques qui deviendront si populaires dans les siècles suivants. Certains chroniqueurs de l'époque ont jugé d'ailleurs que ces récits pouvaient être cause de scandales, parce qu'attentant à la mémoire de personnalités connues. Mme de Lafayette a consulté avant d'écrire nombre d'ouvrages historiques, travaillant un peu comme plus tard Alexandre Dumas. Elle annonce aussi Stendhal. Nous avons souhaité donner une dimension stendhalienne, sous-jacente dans le texte, aux personnages, car, si le langage est profondément différent, les passions sont identiques, prises entre désir et remords, peur et amour. Marie de Montpensier ressemble aux grandes héroïnes de Stendhal, qui connaissent de vraies

passions charnelles, surmontent interdits et empêche-
ments, et composent sans cesse avec le remords.

Comme la langue de la nouvelle est magnifique, notre
travail d'adaptation consistait enfin à rechercher cette
sève qui irrigue le texte, ce courant qui le traverse. Il fallait aussi retrouver cette précision avec laquelle l'auteur
décrit les personnages dans leur infinie complexité. Ce ne
sont ni des traîtres ni des héros : chacun fait montre de
qualités et de défauts. Ils ont leurs raisons et leurs torts,
tous sont déchirés, Guise entre son amour (qu'on peut
croire sincère par moments) et ses instincts de prédateur,
Anjou entre l'amour réel qu'il a pour Marie, le goût du
pouvoir, la rivalité avec Guise et les pressions politiques,
Philippe entre l'amour et la jalousie. Marie est partagée
entre son éducation et le désir que Guise lui inspire.
Quant à Chabannes, au centre de toutes ces passions, il
est lui-même amoureux d'une femme qui le repousse, soit
qu'elle ne soit pas amoureuse de lui, soit parce qu'il est
d'un rang inférieur au sien, soit parce que trop âgé. Qu'il
soit devenu le confident de pratiquement tous les autres
personnages avive encore ses blessures. Chabannes est un
personnage extraordinaire, porté par des motivations
secrètes et compliquées, qui relie les gens entre eux et
permet au lecteur, au spectateur, de les comprendre, de
les aimer : il entend protéger Marie, mais, à certains
moments, il semble traversé d'un désir de revanche. On a
alors l'impression qu'il veut la perdre, qu'il joue la politique du pire. Un instant plus tard, on peut croire qu'en
servant la jeune femme il obtiendra d'elle ce qu'il en
attend. De la part de Mme de Lafayette, c'est une invention géniale, qui sonne comme un écho à l'œuvre des
grands hommes du XVIe siècle à l'origine de la tradition
humaniste, les Montaigne, Érasme, La Boétie.

Dès que l'on refuse de porter sur elle un jugement moralisateur, que l'on se débarrasse de cette volonté de la condamner, Marie de Montpensier s'impose comme un personnage d'une extrême modernité que j'ai adoré, et qui trouve en Mélanie Thierry une actrice exceptionnelle. Forte et vulnérable, rebelle et victime, assumant ses choix jusqu'à se mettre en péril. Il devient dès lors possible de donner à son histoire un sens tout à fait féministe : ce sont les hommes et l'organisation sociale de son temps qui la placent dans la situation intenable qui est la sienne. En cela, la nouvelle me semble plus audacieuse que *La Princesse de Clèves,* où le personnage n'est pris qu'entre son amour et le devoir de fidélité envers son mari. Marie vit dans une époque plus violente, les hommes qui l'entourent sont très différents et l'exposent davantage, la poussent sans cesse vers le danger.

Ce sont ces dangers que nous avons voulu, Jean Cosmos et moi, éclairer, pour mieux raconter la force des passions et la manière dont les personnages peuvent se brûler à leur contact, à trop vouloir les vivre.

Bertrand TAVERNIER

SCÉNARIO DU FILM (EXTRAITS)

La Princesse de Montpensier

Un scénario de
Jean Cosmos – François-Olivier Rousseau –
Bertrand Tavernier

Dialogues de Jean Cosmos

Un film de Bertrand Tavernier

2010

1. De l'insouciance à l'âge adulte

Dans cette séquence, de jeunes gens insouciants sont brusquement jetés dans une vie d'adultes : le duel amical se transforme en violence haineuse dès lors que Guise apprend le mariage de Marie. Les différents plans qui épousent le point de vue de Marie cherchent non seulement à traduire le bouleversement de son esprit, mais aussi la manière dont elle est isolée et écartée de l'univers des hommes : elle se révoltera violemment contre cet univers masculin et paternel. Dans la scène qui l'oppose à son père, Tavernier a cherché à donner à l'expression « tourmentée par ses parents », qu'on trouve dans la nouvelle (p. 41), son sens le plus fort et le plus cinématographique : « Qu'entendait par là Madame de Lafayette ? Des historiens, notamment Didier Lefur, à qui j'ai posé la question, m'ont répondu que "tourmentée" signifiait "torturée", et qu'alors les lecteurs entendaient ce mot dans toute sa force et sa violence. [...] Marie avait donc pu être battue, frappée, menacée d'être enfermée dans une prison, ou plus sûrement dans un couvent [1]. »

---

1. Bertrand Tavernier, avant-propos de *La Princesse de Montpensier*, *op. cit.*, p. 8, et *supra*, p. 126.

18. [1] PETITE COUR + PONT-LEVIS / EXT. JOUR

[...] GUISE : Eh oui, à combien sommes-nous ?

MONTPENSIER, *résigné, descendant de cheval* : Vous le savez très bien : vous menez de trois touches depuis Longjumeau...

Il reçoit de Guise l'épée de Mayenne et se met en garde aussitôt.

GUISE, *taquin* : Trois ? Seulement trois ?

MONTPENSIER, *saluant dans les règles* : Oui, seulement trois ! Je vous en ai repris deux derrière le Louvre.

Il commence de ferrailler. Paraissent les pères...

MÉZIÈRES, *s'avançant seul* : Eh bien ! jeunes gens... Quelle impatience ! Saluez-nous d'abord. Vous aurez le temps de vous égratigner dans la soirée. (*À Philippe de Montpensier.*) Au reste, votre père souhaite vous entretenir en privé...

Déférent, le prince salue, rend son épée à Mayenne. Le duc croise Henri, passe devant Marie et va rejoindre son fils qui fait avancer Chabannes. Le duc, pressé, le salue et entraîne Philippe à l'écart.

MÉZIÈRES, *à Guise* : À vous aussi on veut parler. Votre oncle attend dans la galerie.

---

1. Ce numéro est celui de la scène.

GUISE, *rengainant* : Soit ! *(Vers Montpensier.)* Nous reprendrons plus tard.

MONTPENSIER PÈRE : Vous avez bien maigri, Chabannes.

(Suite – plans muets)
Guise part, insouciant, vers le château et sa galerie,
Marie l'observe, soucieuse.
Catherine et Mayenne se lancent les balles de cuir.
Le prince se tourne vers Marie, qu'il fixe longuement,
tandis que lui parle son père…

MÉZIÈRES : Je… vous ferai bientôt connaître dans le détail une décision.

19. GALERIE GRANDE COUR / INT. JOUR
plans muets (du point de vue de Marie)

Guise pénètre dans la galerie où l'attend le cardinal. Sourire suave de celui-ci, qui a le même geste paternel que le duc pour le prince, et l'entraîne du même pas lent dans la galerie.

20. PETITE COUR + PONT-LEVIS / EXT. JOUR plans muets
(du point de vue de Marie)

Le duc confirme à son fils son heureuse fortune, accueillie par le prince avec une certaine incrédulité. Comme il repart vers le château, Chabannes vient vers le prince.

21. GALERIE GRANDE COUR / INT. JOUR
(du point de vue de Marie)

C'est tout le contraire chez les Guise, où l'on voit Henri se raidir à l'audition de son oncle. Et bientôt éclater, à l'effarement du coadjuteur. Le cardinal, lui, en a vu d'autres et se contente de durcir son attitude, qui devient impérieuse.

GUISE : Je suis l'aîné de cette famille, et j'estime être en droit de demander raison…

CARDINAL : À qui !
    Je vous ai demandé de vous contenir.
    À présent je vous l'ordonne [1].

22. PETITE COUR + PONT-LEVIS /
EXT. JOUR (du point de vue de Chabannes)

Les éclats d'Henri de Guise, déformés par la distance, sont d'une force qui suffit à alerter Chabannes et le prince de Montpensier. Inquiète, Marie, tendue, cherche à comprendre ce qui se trame et dont elle se sent l'objet.

MONTPENSIER : Mais Marie de Mézières…

MONTPENSIER PÈRE : Marie de Mézières, c'est…

---

1. Ces deux répliques sont volontairement rendues inaudibles.

21. GALERIE GRANDE COUR / INT. JOUR
[ajouté au tournage]

CARDINAL : Étiez-vous le promis ?

GUISE : On n'entache pas l'honneur des Guise, qu'ils le sachent !

23. PETITE COUR + PONT-LEVIS / EXT. JOUR

Guise sort violemment du bâtiment.
Apercevant Philippe de Montpensier, il marche vers lui.

MONTPENSIER PÈRE : Quant à Chabannes, prenez-le sous votre protection jusqu'à ce que la colère du roi s'apaise. Et… craignez celle des Guise.

Guise croise le duc sans lui prêter attention, ignorant Marie, qui le suit du regard. Chabannes est sur l'œil. Il voit son protégé relever d'instinct le défi et se redresser, la main sur son épée. Rapide, il va s'interposer. Tension générale. Il bouscule Chabannes pour l'éloigner.

GUISE : Vous m'avez fait affront, mon cousin. Je n'oublie jamais un affront.

Le cardinal, qui l'a rejoint, le détourne et l'entraîne.

CARDINAL : Henri !

Calmé, le prince s'étonne.

MONTPENSIER : Je ne comprends pas, pourquoi lui ? ! ? Et cette fureur ? S'il y a offense, il n'est pas l'offensé.

Chabannes l'entraîne vers l'intérieur du bâtiment, tandis que les Guise vont vers Marie, qui s'éloigne et s'enfuit.

MONTPENSIER, *shunt* [1] : C'est plutôt Mayenne qui devrait...

CHABANNES, *pour calmer le prince* : Précisément.

[24. CHÂTEAU DE MÉZIÈRES / EXT. FIN JOUR

L'austère demeure.
Tout à coup, on entend gronder une voix d'homme à laquelle répond une jeune voix féminine.]

25. CHAMBRE DES MÉZIÈRES / INT. FIN JOUR

C'est Mézières qui hurle et Marie qui fait front avec une résolution farouche qui trouble sa voix et la rend vibrante de rage.

MÉZIÈRES : C'est une affaire entendue, il n'y a pas à y revenir. Je vous l'ai dit et redit, je me suis mis d'accord avec son père, vous n'avez pas à discuter, vous épouserez le prince de Montpensier !

---

1. Diminution progressive de l'intensité sonore, jusqu'à l'extinction du son.

MARIE : Non, mon père... non... je ne...

MÉZIÈRES : Si ! Vous céderez ! Il le faut ! Je vous l'ordonne ! Je dois l'hospitalité aux Guise pour la nuit, mais vous devrez, avant leur départ, m'avoir donné...

Flash sur la MÈRE, *qui vient d'entrer.*

MÉZIÈRES : ... votre consentement, sans lequel tout se mettrait à boiter. Cette alliance me convient ! Je la veux !

Marie lui tourne le dos, butée, juvénile.
Mézières, excédé, la retourne violemment.

MÉZIÈRES : Vous céderez ! Ou bien vous finirez vos jours au cloître.

MARIE : J'y suis prête...

Le marquis, hors de lui, lève la main et la frappe.

MÉZIÈRES, *hurlant et grondant* : J'en ai réduit de plus entêtés que vous ! *(Shunt.)* Les Guise partiront demain et vous n'y songerez plus dans trois jours. Alors inclinez-vous. Là ! Ce soir !

MARIE : Non.

MÉZIÈRES, *hurlant :* Vous devez me céder ! *(Shunt.)* Je suis votre père, c'est votre devoir de m'obéir. Cédez !

MÈRE : Non ! Mon ami.

2. DÉSIR D'ÉMANCIPATION OU MARIVAUDAGE ?

La séquence qui suit témoigne de l'épaisseur que Tavernier a voulu donner au personnage de Marie, livrée à l'instruction de Chabannes par le prince, par rapport à son modèle romanesque. En effet, son désir d'émancipation intellectuelle (en particulier l'apprentissage de l'écriture, qui en fait un double de Mme de Lafayette, à laquelle pensait le réalisateur) est ambigu : s'agit-il de ne plus être, symboliquement, une femme soumise à l'autorité des hommes, et cela par l'esprit ? Ou s'agit-il d'un intérêt porté au comte, allumant les feux d'un désir qu'il ne croyait plus voir naître et alimentant chez lui le narcissisme moralement condamnable du précepteur ? On verra combien le comte lutte contre son amour-propre, puis entre dans le jeu de Marie, cédant au marivaudage, dans la fin de la séquence.

46. SALLE D'ÉTUDES, MONTSURBRAC / INT. JOUR

Près d'un grand feu, Marie lit à haute voix, en formant lentement les mots.
Chabannes l'écoute.

MARIE : *Nuntiata ea clades Romam majorem, quam res erat, terrorem excivit. (Traduisant avec difficulté.)* Cette défaite annoncée aux Romains.

CHABANNES : Non, pas « aux Romains », « à Rome »... *Romam*, il s'agit d'un accusatif singulier. Reprenez...

Elle se bute et cesse de lire.

MARIE : Non, je sais le latin.

CHABANNES : Peu. Et mal.

MARIE : Assez. Et assez bien. *(Résolue.)* Je veux écrire. *(Cette revendication étonne et émeut Chabannes, d'autant que Marie s'est radoucie.)* Si je sais écrire votre latin, je le lirai mieux. En écrivant, on a le temps d'apprendre ce qu'on écrit... de le comprendre...

CHABANNES : L'écriture exige du temps.

MARIE : Je n'en ai que trop.

CHABANNES : Bon. Eh bien, demain...

MARIE : Non. Maintenant. S'il vous plaît.

Il s'incline.

CHABANNES : Bien.

47. SALLE D'ÉTUDES / INT. JOUR – PLUS TARD…

En très gros plan, Marie trace maladroitement quelques lettres inélégantes…
Elle se redresse… juge sans concession ce qu'elle vient de tracer.
Peu satisfaite, elle reprend avec une application qui émeut Chabannes, observateur discret.

50A. TERRASSE, MONTSURBRAC / EXT. NUIT [1]

La nuit, Chabannes et Marie sont sur les remparts du château, couverts de grandes pelisses pour se protéger du froid de l'hiver. Marie, concentrée, observe le ciel.

MARIE, *répondant à une question de Chabannes* : … Je pense qu'il s'agit du Dauphin. La constellation du Dauphin ?

Son regard guette l'approbation de Chabannes, qui acquiesce.

CHABANNES : Les Arabes la disent du Chameau. Et les Hébreux de la Baleine.

MARIE, *après réflexion* : Croyez-vous à leur influence sur nos destins ?

CHABANNES : Je n'ai pas de certitude, ni pour ni contre. Mais, lorsque vous serez à la cour…

_____

1. Les scènes 48 et 49 ont été déplacées au montage après la scène 54.

Marie réagit en jeune femme que cet espoir lancine…

MARIE : Moi ? ! Vraiment ? Vous le pensez ?

CHABANNES, *éludant* : … n'oubliez pas que la reine Catherine et donc son fils, le roi, et toute la cour croient à cette influence des astres. Et l'étudient. Au moins vous ne la combattrez pas… laissez dire… écoutez. À la cour, tout le monde imite. Imitez.

MARIE, *après réflexion* : Mais vous ? Qu'en pensez-vous ?

CHABANNES : Moi, je pense, après tant de grands esprits qui se sont appliqués à comprendre leur mécanique céleste, donc divine, que les astres nous donnent un prodigieux exemple sur lequel régler nos sociétés. Asservis à des routes immuables, respectueux de la hiérarchie universelle qui maintient le faible dans l'orbite du fort sans jamais l'écraser, ils nous enseignent…

MARIE : … la résignation ?

CHABANNES : Non pas la résignation, la simple obéissance aux lois d'équilibre et de modestie sans lesquelles d'effroyables collisions se produiraient, entraînant d'effroyables malheurs.

MARIE : D'effroyables malheurs…

50B. JARDIN / EXT. JOUR
[ajouté au tournage]

Marie et sa servante Jeanne esquissent, répètent des pas de danse. En vue d'un bal à la cour ? Elles ont un fou rire.

51. BUANDERIE – HALL – CUISINE / INT. JOUR

Chabannes, botté, chapeauté, vient chercher un petit panier tressé qu'il portera en bandoulière.
Paraît Marie, qui le surprend…

MARIE : Ne devions-nous pas travailler sur vos triangles ?

CHABANNES, *sincèrement étonné* : N'avions-nous pas dit tantôt…

MARIE, *déçue* : Ah… !

CHABANNES : J'ai promis aux femmes des cuisines un remède pour les engelures.

MARIE : Oui.

CHABANNES : Et je sais où se trouve l'herbe… Et j'allais…

MARIE, *enchantée de l'aubaine* : … vous sortiez ?

CHABANNES : Oui,

MARIE : Je vous accompagne.

CHABANNES : « Apium graveolens »… C'est… C'est une plante des terres boueuses.

MARIE, *déjà sortie de la pièce, joyeuse (off)* : J'arrive ! Oui, oui…

52. RUISSEAU / EXT. JOUR

Ils marchent, emmitouflés.

MARIE, *enjouée* : Vous savez aussi soigner ! ? Vous êtes une personne très utile, Monsieur de Chabannes.

CHABANNES : Quelques remèdes... Chez nous en Quercy, ce sont les femmes qui transmettent les recettes. *(Il change de direction.)* C'est par là, je crois...

MARIE, *innocemment* : C'est donc qu'une femme vous a transmis... ?

La question le raidit.

CHABANNES : Je n'ai pas dit cela.

MARIE : Ce n'est pas une femme ?

CHABANNES : Si. Mais... Ah !

MARIE : C'était sans curiosité, vous savez...

Il continue d'avancer sans répondre, commençant à patauger.

MARIE : Mais maintenant, oui, je le suis, curieuse... Il me semble que nous sommes suffisamment amis... Cette femme que vous cachez, c'était votre femme ?

Il continue de marcher sans lui répondre.
Elle avance d'un mètre, elle a les pieds dans l'eau, pousse un petit cri et s'arrête.

MARIE, portant la voix : Je ne peux plus vous suivre !

Il s'est penché sur le sol, d'où il extrait quelques bulbes qu'il enfourne dans son panier. Elle s'assied sur une souche. Plus tard, il est revenu, à nouveau lisse et sans trace d'humeur.

CHABANNES, *lui montrant sa récolte dans le panier* : Ah, voilà ! J'ai trouvé ! Ce sont des aches *(il épelle)* A-C-H-E !
On appelle ça aussi céleri sauvage. Alors, je les mets à bouillir...

MARIE, *tout à trac* : Je n'aurais pas honte de parler d'une personne pour qui j'aurais éprouvé un sentiment.

CHABANNES : Mais... qui vous dit que... ?

MARIE : J'ai subi l'épreuve. Et j'en suis guérie.

CHABANNES : Mais, Madame, jamais je ne...

MARIE : J'en suis guérie.

CHABANNES : C'est donc que vous aviez bien peu souffert.

MARIE : Suffisamment souffert.

CHABANNES : Avant le prince ?

MARIE : Le prince a été le remède.
Nous étions encore presque des enfants. Celui auquel je pense était le plus beau des garçons autour de moi. Il m'effrayait un peu dans nos débuts, car il se battait sans

cesse pour l'honneur... et peut-être aussi pour le plaisir... et ces batailles l'avaient marqué au visage.

La très légère réaction de Chabannes l'instruit qu'il a deviné.
Elle réagit pour désamorcer cette découverte.

MARIE : Il ressemblait à Henri de Guise.

CHABANNES, *l'aidant* : ... Mais ce n'était pas lui.

MARIE, *soutenant son regard* : ... Mais ce n'était pas lui.

3. Les ambiguïtés du désir

Cette séquence éveille des interrogations sur la relation de Marie au prince : par rapport à la nouvelle, Tavernier suggère une complexité psychologique des personnages et laisse le spectateur libre d'interpréter certaines ambiguïtés ou certains silences. En particulier, les soupçons de jalousie du prince, lors de son entretien avec Chabannes, nourrissent un désir plus grand de s'unir physiquement avec sa femme, alors qu'il reculait devant elle lors de leurs retrouvailles : est-il jaloux parce qu'il est amoureux, ou amoureux parce qu'il est jaloux ? D'un autre côté, Marie, d'abord craintive devant un rapport sexuel avec son époux, se montre, au matin, épanouie : est-ce l'intensité de l'élan de Philippe qui l'a finalement séduite, elle qui apprécie la fougue de Guise ? Ou est-ce un masque composé pour piquer l'amour-propre de Chabannes, qui les découvre nus dans le lit ?

66. CHAMBRE DE MARIE, MONTSURBRAC / INT. NUIT

Marie est dans sa chambre. Une de ses servantes la déshabille sous le contrôle de la duègne. Elle masse le front de Marie. Marie rejette la tête en arrière et laisse ses cheveux couler dans son dos... Montpensier entre en tenue de nuit : chemise, robe de chambre enveloppante, sandales...

MONTPENSIER, *à la servante et à la duègne* : Laissez-nous.

DUÈGNE : Mais, Monseigneur...

MONTPENSIER, *la repoussant* : Nous n'en sommes plus aux noces, merci !

La servante sort en emportant les vêtements de Marie. Ainsi que la duègne, pincée.
Marie regarde Montpensier, sur la défensive.
Montpensier s'approche, pose la main sur l'épaule de Marie. Elle lui répond par un sourire tendu. Montpensier retire sa main.
Il s'assied à quelque distance de Marie. On entend, éloignés, quelques accords de viole.

MONTPENSIER : Les travaux de la guerre nous ont séparés trop vite après notre mariage. Nous ignorons encore trop l'un de l'autre.

Il s'approche à nouveau de Marie, mais l'attitude craintive de sa femme le décourage.
Il s'incline pour prendre sa main et la baiser.

MONTPENSIER, *quittant la pièce* : Il faudra prendre du temps, pour devenir moins étrangers que nous le sommes ce soir...

67. CHAMBRE DE CHABANNES, MONTSURBRAC / INT. NUIT

Chabannes raccroche sa viole à son support mural. Il est encore habillé. Un livre est ouvert qu'il va lire à la lumière d'une chandelle.

La porte s'ouvre et Montpensier paraît. D'abord, il reste sur le seuil.

MONTPENSIER : J'ai entendu quelques notes. Je vous dérange ?

CHABANNES, *refermant son livre* : Vous ne me dérangez jamais, Philippe. J'allais lire.

MONTPENSIER : J'ai laissé mon épouse reposer… et moi je n'ai pas sommeil.

Chabannes est secrètement ravi, on le devine.

MONTPENSIER : Buvez. Après le désordre des camps, tout ce calme m'est un dérangement.

Montpensier s'assied sur le lit de Chabannes.

MONTPENSIER, *après un temps* : Que pensez-vous d'elle ? Mon épouse.

CHABANNES, *sur ses gardes* : Très belle… très…

MONTPENSIER : Je veux dire comme élève ?

CHABANNES : Ah ! Intelligente, douée, avide de connaissance.

MONTPENSIER, *non sans humeur* : Je ne sais rien d'elle ! De tout le château je suis le plus ignorant de ses goûts, de ses humeurs…

Ce qu'il voit sur la table de Chabannes lui permet de recouvrer son calme.

MONTPENSIER, *admiratif* : Vous avez toujours cette belle écriture… *(amusé)* Même moi je peux vous lire !

CHABANNES : Ce n'est pas mon écriture…

MONTPENSIER, *déchiffrant sans l'avoir entendu* : « Si notre vie est moins qu'une journée
En l'Éternel Si l'an qui fait le tour… »

CHABANNES : C'est de la poésie. Son écriture. Je lui donne à recopier des poèmes, nouveaux… qu'elle apprend pour les dire ensuite à la cour.

MONTPENSIER : Elle ?

CHABANNES : Marie.

Le prince est assommé par la révélation. Il se penche sur le manuscrit de nouveau…

MONTPENSIER, *sans le regarder, après un assez long temps* : Vous l'appelez Marie ?

CHABANNES : Rarement. Et seulement en son absence.

Philippe semble en convenir… mais toujours absorbé reprend…

MONTPENSIER : Même en son absence, dites « la princesse ».

Un ange passe.

MONTPENSIER : Vous lui avez appris l'écriture ?

CHABANNES : Elle la savait un peu.

MONTPENSIER : Pourquoi ?

CHABANNES : À sa demande.

MONTPENSIER : Pour faire réponse ? On lui écrit ?

CHABANNES : Non ! Non, non.

MONTPENSIER : Il faudrait me le dire.

Montpensier le fixe.

CHABANNES : Oui.
   Aucune lettre. Vraiment.

Montpensier soupire, détendu.

MONTPENSIER : À moi, j'aimerais qu'elle écrive...

Montpensier s'étire, bâille. Rumine.

MONTPENSIER : Les Guise reviennent en cour. Henri est grand soldat. Il se bat... très bien ! Nous avons chargé botte à botte. Il a reçu une nouvelle blessure au visage qui efface l'ancienne... Maintenant, il mérite bien le nom de Balafré. Comme son père. À croire qu'ils naissent avec la place marquée.

68. CHAMBRE DU PRINCE / INT. NUIT

Montpensier pousse la porte de sa chambre et découvre Marie qui l'attend. Elle a pris l'initiative, cela le touche.

69. COUR DES ÉCURIES, MONTSURBRAC / EXT. JOUR (AUBE)

Un cavalier ruisselant approche. Chabannes apparaît à cet instant.

70. CHAMBRE DU PRINCE, MONTSURBRAC / INT. JOUR

Le jour pénètre dans la chambre. Les rideaux du lit sont clos. On entend frapper à la porte puis, tout de suite après, Chabannes entre dans la chambre.

CHABANNES : Monsieur…

Il n'obtient pas de réponse. Il s'approche tout près du lit.

CHABANNES, *dans un murmure* : Philippe…

Chabannes écarte le rideau du lit. Il découvre Montpensier endormi, nu, et, près de lui, Marie, nue aussi, qui ouvre les yeux. Le regard de Chabannes croise celui de Marie.
Montpensier se réveille.
Chabannes lui tend la lettre. Il fait sauter le cachet. Il se lève tout nu, sans aucune gêne, et va lire près de la fenêtre.

MONTPENSIER : Mon père me réclame à Paris. Visiblement, son deuil lui pèse. Je sais qu'il songe à se remarier.

Marie se lève à son tour, également nue, et va jeter une houppelande sur les épaules de son époux, passant devant Chabannes. Elle se serre tendrement contre lui.

MONTPENSIER : Il va vous présenter à la cour.

Le visage de Marie s'illumine.

MONTPENSIER : Ne soyez pas si impatiente. Laissez-moi profiter de la paix… et de vous.

Marie le regarde et se serre contre lui.

4. En proie aux passions

L'ensemble de la séquence, qui montre pour la première fois le quatuor d'hommes rivaux autour de la
princesse, a les allures et le rythme d'une chasse (Montpensier est d'ailleurs parti chasser lorsque Guise et
Anjou chevauchent avec Marie). Mais qui est pris au
piège de cette chasse ? Marie, la proie vers laquelle les
quatre hommes se tournent, notamment lors du repas où
elle est la seule femme ? Guise, qu'Anjou a deviné être
un rival, et auquel il cherche à nuire ? Montpensier,
aveugle aux séductions d'Anjou mais torturé par la présence de Guise ? Quoi qu'il en soit, Marie est neutralisée
dans cet univers masculin qui culmine avec le regroupe-
ment des bretteurs, la nuit, autour du duc d'Anjou :
celui-ci n'a plus rien de la légende du roi homosexuel
entouré de mignons : c'est au contraire une conversation
de caserne ou de vestiaires que Jean Cosmos semble avoir
voulu restituer.

77. CHEMIN DE CAMPAGNE / EXT. JOUR

Marie chevauche entre Guise, qu'elle ignore, et Anjou, sur
lequel elle affecte de porter ses efforts d'hôtesse. Mais nul
n'est dupe.

MARIE : C'est une chasse rendue nécessaire par la trop grande abondance du gibier. Elle est, paraît-il, un plaisir pour ceux qui se reposent de tuer des hommes en sacrifiant cerfs et biches ; mais, pour moi, c'est un spectacle sans attrait.

Anjou rit. Et lance pour Guise...

ANJOU : Vous êtes bien cruelle pour notre cousin, qui excelle dans les deux tueries.

Guise encaisse sans réagir.

ANJOU : C'est égal, Montpensier est bien coupable d'avoir privé la cour de son plus bel ornement. Vous lui en ferez reproche de ma part, Madame.

MARIE : Vous pourrez le faire vous-même, Monsieur, car j'entends sonner la fin de sa boucherie.

78. COUR DES ÉCURIES, MONTSURBRAC / EXT. JOUR

Dans la cour du château, Montpensier accueille les visiteurs. Chabannes se tient derrière lui, tout aussi chagrin de voir Guise.

ANJOU : J'aime votre demeure, Montpensier.

Montpensier s'incline, lugubre.

MONTPENSIER : Monsieur, le temps qu'il vous plaira, sentez-vous ici comme chez vous.
   Je reviens juste de la chasse et j'aurai plaisir à vous faire servir.

79. SALLE À MANGER, MONTSURBRAC / INT. FIN JOUR

On a dressé une table. Marie et Montpensier « président »
aux deux bouts étroits de la table.
Des valets circulent avec des aiguières et des hanaps, et
servent les convives, qui rendent les hanaps après avoir bu.
Les dîneurs font face à la cheminée, qui projette sur eux la
lumière de ses flammes. Ils mangent assez gloutonnement,
se servant de leurs doigts gantés de sauce. Anjou seul use
d'une fourchette.

ANJOU, *lancé* : Chaque bataille entraîne son lot de
conversions. Nos défaites font de nouveaux huguenots et
celles des huguenots refont des chrétiens avec des
apostats…

Quelus intervient.

QUELUS, *léger* : … qui redeviendront hérétiques à la première victoire de Coligny.

GUISE, *farouche* : Je ne vois rien de plaisant dans ces
retournements, Quelus. *(À Chabannes.)* Et vous, Monsieur, que pensez-vous de votre expérience aux côtés des
hérétiques ?

MONTPENSIER, *prêt à secourir Chabannes* : Mon ami Chabannes aura pris la décision…

GUISE, *le coupant* : Laissez-le dire, mon cousin.

Chabannes relève le défi sous les regards de tous.

CHABANNES : Parmi les hérétiques, comme vous les
nommez, j'ai vu autant de grandeur et de cruauté que

chez les catholiques. J'avoue être sans complaisance pour le spectacle de ces batailles. Je n'y vois que le sang et l'horreur. Je n'y entends que les cris de la souffrance. Je m'en suis donc retiré.

ANJOU, *arbitrant* : Vous êtes homme de sentiment quand notre Guise est homme d'impulsion.

GUISE : Je l'ai toujours été, Monsieur. *(Sur Marie.)* Sans jamais renoncer à mes sentiments. Je ne raisonne pas, je ressens, et je reste fidèle aux mouvements de ma foi et de mon cœur, qui ne m'a jamais trompé.

ANJOU, *à Marie* : Qu'en pensez-vous, Madame ?

MARIE : Je suis trop incertaine pour me prononcer. Et quel crédit accorderiez-vous au jugement d'une femme qui ne sait rien des usages militaires ?

Anjou rit, charmé.

ANJOU : Rien, vraiment ?

MARIE, *vers Chabannes* : Non, c'est l'un des rares chapitres dont le comte de Chabannes m'ait épargné l'enseignement.

ANJOU : Heureux homme.

Chabannes s'incline discrètement.

ANJOU, *pour Marie* : J'aurais le plus grand plaisir à vous convertir à mes passions... la musique, les livres... *(À la cantonade.)* Tous ces soudards n'entendent rien à la beauté !

Protestations amusées.

ANJOU, *rompant* : Bien. Madame, je n'attendrai pas que vous nous donniez congé. *(Il se lève.)* Compagnie, debout !

Montpensier s'est levé et parle pour tous.

MONTPENSIER : On vous montrera la pièce où vos lits sont installés. *(À Anjou)* Je vous fais préparer la chambre de mes parents.

ANJOU : Et vous ?

MONTPENSIER : J'irai dormir chez ma femme.

ANJOU : J'accepterais volontiers l'échange.

On se sépare assez bruyamment, comme il est d'usage chez les jeunes hommes émoustillés par le vin.

80. CHAMBRE DE LA DUCHESSE (COMMUNE DES INVITÉS) / INT. NUIT

Peut-être les deux chambres sont-elles séparées par un étroit couloir. En tout cas, les jeunes bretteurs qui se dévêtent sans vergogne dans la grande pièce s'embarrassent peu de discrétion. Au contraire s'efforcent-ils, l'oreille à la cloison, d'entendre des bribes du dialogue entre les époux.

QUELUS : Ce pâté en croûte était divin. Le fameux gratin de panais.

LA VALETTE : Quelus.

QUELUS : Merci, La Valette.

LA VALETTE : J'ai trouvé Marie de Montpensier d'une grande beauté.

JOYEUSE : Au prince !

LA VALETTE : Il doit passer de bons moments, le prince.

QUELUS : Coquin La Valette.

ANJOU : Mettez une bûche.

GUISE : Joyeuse.

ANJOU : Je suis fourbu.

QUELUS : Chut !

Une porte claque.

81. CHAMBRE MARIE, MONTSURBRAC / INT. NUIT

Montpensier contient mal son aigreur, admonestant Marie, qui s'apprêtait à se coucher. Lui-même oublie de se dévêtir, furieux.

MONTPENSIER, *grondant* : Vous étiez fatiguée de la chasse, mais j'espère que vous avez supporté sans trop d'ennui ce bourdonnement d'admiration autour de vous !

5. À L'ÉPREUVE DE LA MORALE

La séquence qui suit le bal exploite le motif de l'amou-reux (Chabannes) qui se résout à faire preuve d'abnégation pour devenir l'auxiliaire de son rival (Guise). L'audace de Guise soulève encore des interrogations. Tavernier écrit, à ce sujet : « Guise, sous les traits de Gaspard Ulliel, n'est pas un simple prédateur. Je le crois sincère dans son amour, au moins par intermittence. Shakespeare donne toujours raison aux personnages les plus odieux au moins le temps qui leur est nécessaire pour se justifier [1]. » Cepen-dant, le tourment qu'il exerce sur Marie, à ce moment, n'est-il pas condamnable ? Elle-même est-elle bien hon-nête lorsqu'elle dit n'accepter de recevoir Henri que pour répondre au vœu du comte ? Enfin, jeter Guise dans les bras de Marie pour faire preuve de sacrifice est-il, de la part du comte, un acte moral ? Tavernier semble transpo-ser le jansénisme de Mme de Lafayette dans un film poli-cier où mensonge, culpabilité et culpabilisation perturbent les repères moraux trop figés.

1. Bertrand Tavernier, avant-propos de *La Princesse de Montpensier*, *op. cit.*, p. 9-10, et *supra*, p. 127.

114. RUE PROCHE DE L'HÔTEL MONTPENSIER / EXT. NUIT

Chabannes, prudent, furtif, quitte une guérite près de laquelle des hommes d'armes accroupis jouent aux dés. Sur un bref salut, il part en trottinant.
Plus loin, il atteint l'angle d'une ruelle dans laquelle il va s'engager, une haute silhouette jaillit devant lui et l'entraîne dans l'ombre. C'est Guise. Farouche, celui-ci le menace de sa dague.

GUISE : Au premier cri, Chabannes, vous êtes mort.

Chabannes écarte la main de Guise.

CHABANNES : J'ai trop de curiosité pour crier. J'attends la suite.

GUISE : Vous approchez une personne pour laquelle je me consume de passion.

CHABANNES : Je vous comprends.

GUISE : On la trompe à mon sujet. On me tend des pièges.
    Je dois lui parler.

CHABANNES : Écrivez-lui !

GUISE : Non ! Lui parler. Je veux la voir et lui parler !

CHABANNES : Son mari, ses gens et moi-même vous en empêcheront.

GUISE : En ce cas, vous ferez mon malheur mais le sien aussi ! Ce que je veux, elle le veut ! Je le sais. Ce que j'éprouve, elle l'éprouve. Si je meurs, elle mourra !

La résolution de Chabannes vole en éclats.

CHABANNES, *touché* : Taisez-vous !…
Je vais vous annoncer à la princesse. *(Guise revit.)* Mais ne vous réjouissez pas. Donnez-moi votre parole que, si elle refuse de vous parler, vous accepterez votre défaite.

GUISE : Elle m'attend !

CHABANNES : Votre parole ?

GUISE : Vous l'avez.

CHABANNES : Si la princesse accepte de vous parler, elle placera une lampe à sa fenêtre et je vous ouvrirai la petite porte près du puits.

115. CHAMBRE DE MARIE / INT. NUIT

On achève de dévêtir Marie pour la nuit. Absente, morne, elle laisse faire. Ses femmes sortent.

116 et 117. CHAMBRE DE MARIE / INT. NUIT

Chabannes gratte sa porte.
Après un temps, Marie vient l'entrouvrir.

MARIE, *découvrant Chabannes, effarée* : Mais vous êtes fou ! ?

CHABANNES : J'en ai peur, Madame. *(Elle va parler.)* Je viens de parler avec Monsieur de Guise.

Saisie, Marie marque un temps et lui ouvre la porte, s'effaçant.

CHABANNES : Il exige de vous voir et de vous parler.

MARIE : Ah, l'insolent !

CHABANNES : Il prétend se justifier à vos yeux.

MARIE, *se cabrant* : Il ignore donc qui je suis ? Où je suis ? Les... les... les risques qu'il nous ferait encourir ?

CHABANNES : Il sait tout cela, Madame, il attend votre réponse.

MARIE : Croyez-vous qu'il m'aime ?

CHABANNES : Oui, Madame.

MARIE : Et moi ? Croyez-vous que... ?

CHABANNES : Hélas, oui...

MARIE, *inconsciente de sa mauvaise foi* : En somme, vous m'engagez à l'entendre ?

CHABANNES : En aucun cas...

MARIE : Mais par où viendrait-il ? Et comment ?

CHABANNES, *amer* : S'il n'y a plus que ces obstacles à considérer, approchez donc un chandelier de votre fenêtre, je m'occupe du reste.

118A. COUR DE L'HÔTEL MONTPENSIER / EXT. NUIT

Guise se faufile dans la cour.
La lueur d'une lampe passe derrière une fenêtre.

118B. CHAMBRE DE MARIE / INT. NUIT[1]

Marie fait les cent pas, anxieuse.

118C. COUR DE L'HÔTEL MONTPENSIER / EXT. NUIT

Juvénile, vainqueur, Guise s'apprête à courir vers la lueur lorsque des grognements de chiens le figent sur place.

119. CHAMBRE DE MARIE / INT. NUIT

Effrayée de sa propre audace, Marie est aux aguets.
Brusquement elle va souffler la lampe, ayant changé d'avis.

---

1. Les scènes 118B, 118C et 118D ont été ajoutées au tournage.

*On entend monter de la cour le hurlement d'un chien qu'on
égorge, puis les aboiements d'un autre, et de nouveau un
cri d'agonie.
Elle s'arrête.*

120A. CHAMBRE DE MONTPENSIER / INT. NUIT

Les cris alertent Montpensier, qui se soulève dans son lit.

118D. COUR DE L'HÔTEL MONTPENSIER / EXT. NUIT

*Guise entre dans le champ, une dague à la main, et se dirige
vers une porte basse.*

120B. PORTE BASSE / INT. NUIT

*Guise entre, une manche déchirée et ensanglantée. Cha-
bannes referme la porte derrière lui.*

121. COULOIR DÉROBÉ / INT. NUIT

*Chabannes attend Guise, qui débouche d'un escalier de ser-
vice dans le couloir de Marie. Ils vont jusqu'à la chambre,
poussent la porte… Guise entre.
Marie est lumineuse d'angoisse et de désir coupable.
Guise s'est approché et, tandis que Chabannes ressort dans*

le couloir sans refermer la porte, se tient devant Marie.
Ils restent un instant silencieux, accablés de leur propre
audace, ne sachant comment exprimer leur confusion.

CHABANNES : Dépêchez-vous.

GUISE : Vous m'avez cruellement tourné le dos au bal
du roi.

MARIE, *du coup, attaque* : C'est que je vous ai vu très
occupé. *(Il va se justifier, elle ne lui en laisse pas le loisir.)*
Je devine très bien tout ce que vous allez me dire… mais
moi je sais que vous étiez à consolider votre emprise sur
Marguerite tandis que je vous attendais en mourant de
peur et de froid au lieu fixé.

Elle a haussé le ton.

CHABANNES, *depuis la porte* : Parlez moins fort !

GUISE, *sincèrement interloqué* : Comment cela vous
m'attendiez ? Au lieu fixé ? Mais fixé par qui ?

MARIE, *tranchante* : Par moi ! Ce tantôt ! À la fin du
ballet. Je vous ai dit l'endroit !

GUISE : Vous ne m'avez pas adressé la parole…

MARIE : Mais comment ?! Vous avez le front de…

GUISE : Sur ma vie, Marie. Ce n'était pas moi !

Ils sont aussi interdits l'un que l'autre.

122. CHAMBRE DE MONTPENSIER / INT. NUIT

Sorti de son lit, Montpensier est à la fenêtre de sa chambre. Ce qu'il voit l'intrigue. Il traverse la pièce et va jusqu'à la porte, qu'il ouvre, réveillant un domestique qui dormait allongé sur le seuil.

MONTPENSIER : Je ne vois qu'un chien allongé dans la cour. Va voir.

124. COUR / EXT. NUIT [1]

Le domestique est penché sur le chien égorgé. Il se redresse et court porter la nouvelle à son maître.

123-125. CHAMBRE DE MARIE / INT. NUIT

Marie et Guise se sont éclairés mutuellement sur la méprise du bal.

GUISE : C'est donc Anjou qui vous a jouée. C'est à lui que vous aurez parlé, pas à moi. Moi, j'aurais couru vers vous, Marie !

Marie perd toute agressivité et fond de bonheur.
Les amants réconciliés sont face à face.

---

1. La scène 124 est avancée et les scènes 123 et 125 ont fusionné au tournage.

J'ai fait savoir à la reine que je renonçais à Marguerite. C'est toi que j'aime, Marie... plus que jamais.

Ils vont s'enlacer. La voix impérieuse de Chabannes et son apparition les en retiennent.

CHABANNES : On s'agite chez le prince. Fuyez, duc ! Fuyez !

TABLEAU SYNOPTIQUE
DE *LA PRINCESSE*
DE MONTPENSIER

Repères	Lieux et actions	Éléments visuels	Éléments sonores
0'-9'	Plan consacré au champ de bataille : des cavaliers surgissent. Chabannes enceinte dans une grange. Il tue une femme enceinte qui l'a frappé. Dehors, il essaie d'essuyer son poignard sur l'herbe. Il chevauche avec Nicolas, à qui il dit renoncer à la guerre. Banni, il part seul et s'endort sous un arbre. Au matin, il est sauvé par Philippe de Montpensier, au moment où on va le pendre.	Larges plans (plan général, plans d'ensemble), travelling et mouvements de *steadicam*. Dans les plans rapprochés (poitrine), arrière-plan surexposé.	Musique sacrée accompagnant des coups de feu. Puis musique moderne : vents et percussions. Enfin, son de cloches indiquant la trêve.
9'-18'	Le duc de Montpensier persuade Mézières de marier sa fille au prince Philippe, pendant que Marie et Guise, dans les jardins, échangent baisers et caresses. Montpensier réussit à faire pression sur Mézières. Ils essuient ensuite les reproches du cardinal. Philippe affronte Guise dans un duel d'adolescents. Les pères surviennent. Marie cherche à comprendre ce qu'ils trament. Guise, informé du mariage, menace Philippe.	Plan américain qui montre les pères à l'intérieur. Effets de travelling et de plongée aux abords du château, et gros plans sur le visage des amants. La caméra suit le regard de Marie, qui essaie de percevoir les deux conversations spatialement opposées.	Cordes graves pour la promenade des jeunes gens. On entend des bribes de la conversation du cardinal avec Guise qu'essaie de percevoir Marie. Seuls les derniers mots sont audibles.

18'-27'	Le père de Marie la frappe pour s'être révoltée. Sa mère lui ordonne de se résigner à ce mariage. Pendant la nuit, elle va embrasser Guise dans son lit. Ellipse. Mariage de Marie avec Montpensier, puis banquet pendant lequel Mézières évoque la recette des anguilles. Pendant qu'il joue avec le duc de Montpensier, on lave Marie, nue, puis on assiste à sa défloration publique. Une femme apporte le drap taché de sang aux pères.	Gros plan sur le visage des amants s'embrassant. Travellings et plans d'ensemble accompagnant le mariage et le banquet, détournant l'attention du visage de la jeune mariée. Deuxième gros plan sur Philippe déflorant Marie.	Hurlements brusques du père et de la fille, chuchotements lors de la discussion avec sa mère. Chant sacré pendant l'union dans la chapelle, silence pendant le repas et la nuit de noce. Gémissement de Marie au contact de son époux.
27'-35'	Départ du château. De son carrosse, Marie regarde Chabannes chevauchant. Ce dernier raconte à la princesse son histoire tout en curant le sabot de son cheval. Arrivée à Montsurbrac, que Marie découvre avec inquiétude. Le duc de Montpensier décide de rentrer à Paris malgré l'état de sa femme, mourante. Philippe annonce à Marie que le roi le demande.	Regard de Marie sur Chabannes et conversation filmés en *steadicam*. Plan américain, rappelant le western, sur Chabannes qui nettoie le sabot de son cheval. Château filmé en contre-plongée, pour transcrire l'inquiétude de Marie. Plans d'ensemble de la cour soulignant sa solitude.	Cordes graves, puis souffle des chevaux. Percussions et vents qui vont en s'amplifiant. Cordes mélancoliques lors de l'arrivée de Marie au château. Gémissements de la duchesse de Montpensier mourante, écho à ceux de la nuit de noce, manifestations d'une douloureuse soumission de l'épouse.

Repères	Lieux et actions	Éléments visuels	Éléments sonores
35'-42'	Montpensier dit au revoir à sa femme et demande à Chabannes de l'instruire. Apprentissage de l'écriture, leçon d'astronomie qui devient une leçon de politique, leçons de danse et dialogues avec Chabannes sur l'amour.	Champs/contre-champs montrant l'attention que Marie et Chabannes se prêtent mutuellement, indices d'un élan nouveau de la jeune fille. On note une différence de niveau entre les deux visages : impression de domination-séduction/ soumission-fascination.	Vents mélodieux, plutôt aigus, accompagnant la naissance d'un sentiment et la consolation de Marie auprès de Chabannes.
42'-46'	Sur le champ de bataille, Guise et Montpensier combattent ardemment, et les catholiques sont victorieux.	Effets de panoramique, de plan général ou de travelling dominant un caractère épique à l'action, comme pour un film de guerre moderne.	Percussions martiales, trompettes et explosions.
46'-56'	À Montsurbrac, Marie surprend sa servante Jeanne en plein ébat. Dialogue sur le péché et l'envie avec Chabannes. Déclaration d'amour de Chabannes. Marie l'invite à se reprendre. Un colporteur arrive au château pour annoncer la défaite des huguenots et l'héroïsme de Guise pendant la bataille. Marie se réjouit.	Effets de plongée/ contre-plongée lors de l'arrivée du colporteur, traduisant les mouvements de l'âme de Marie. Plongée sur Chabannes, qui rabaisse le comte. Marie est en position dominante – plus séduisante encore lorsqu'elle songe à Guise. Rappel de Chabannes essuyant ses mains en sang. Quasi-citation du début du film.	Vents mélodieux et graves pendant le dialogue sur la foi, mais *piano*, à peine audibles, comme si l'âme avait du mal à s'élever à la spiritualité.

	Marie doit découper un sanglier : Chabannes l'aide, puis essuie ses mains sanguinolentes sur l'herbe. Dialogue sur la foi et la transsubstantiation. Par courrier, Montpensier réclame Chabannes. Le comte quitte le château et galope à travers la plaine.		Vents graves, bruit de la pluie, percussions, une bande sonore qu'on peut associer aux films de tranchées.
56'-1h01	Montpensier et Chabannes se rendent à cheval dans le campement du duc d'Anjou. Arrivée de Guise, le visage couvert de sang, annonçant que les huguenots réclament une trêve. Première réunion des quatre rivaux.	Long travelling à l'arrivée des deux hommes dans le camp, référence aux films de tranchées.	
1h01-1h07	Retour à Montsurbrac de Montpensier et Chabannes : Marie les aperçoit. Son époux veut la caresser, elle hésite, il la quitte. Première crise de jalousie et soupçons du prince. Ellipse jusqu'au lendemain. Chabannes apporte une lettre au prince : le père de ce dernier le réclame. Il trouve les époux nus et enlacés dans la chambre, échangeant baisers et caresses.	Effets de plongée/contre-plongée qui soulignent l'isolement de Marie dans son château. Plans rapprochés et zoom sur la jeune femme assise sur son lit quand Philippe surgit dans la chambre. Ellipse intéressante : Philippe a-t-il pris sa femme de force ? Le plaisir sur le visage de Marie le lendemain est-il dû à une relation sexuelle ? Ou à la lettre qui va provoquer le départ du mari ?	À l'exception d'un crépitement de feu, la séquence est plutôt silencieuse, ce qu'on peut relier à l'ellipse de la nuit passée avec Montpensier.

Repères	Lieux et actions	Éléments visuels	Éléments sonores
1h07-1h17	Anjou et Guise, à cheval, aperçoivent Marie sur une barque. Anjou comprend que Guise est un rival et entreprend de séduire Marie. Elle chevauche en compagnie des deux hommes. Retour du prince. Repas où la princesse est la seule femme, courtisée publiquement par Anjou. Montpensier n'est jaloux que de Guise et réprimande Marie pour son attitude. La princesse exprime à Chabannes son désir de voir les hommes partir. Pendant leur chevauchée, Anjou menace Guise, qu'il sait être son rival.	Effets de contre-plongée et de travelling, qui réinscrivent dans le film le motif de la chasse et de la capture de la proie.	Bruits de sabots de cheval, de vent dans les branches, puis de la selle frottée. Ils soulignent le motif de la chasse (celle à laquelle se livre Montpensier, absent, et celle, symbolique, à laquelle se livre Anjou).
1h17-1h27	Mort de la duchesse de Montpensier. Son veuf ne se préoccupe que de son remariage. Marie s'inquiète à l'idée de retrouver Guise à Paris, mais le revoit cependant. Son beau-père annonce son second mariage avec Catherine, la sœur de Guise. Marie, épouvantée, enjoint pourtant à cette dernière de se résigner à ces noces. Anjou avoue son amour à Marie et lui fait savoir qu'il a perçu son amour pour Guise.	Séquence avec peu d'effets et de mouvement. La scène où Marie demande à Catherine de se résigner rappelle celle où sa mère lui demandait la même chose.	Musique imitant celle de la Renaissance.

1h27-1h38	Attendant une audience avec la reine, Marie rencontre Guise, qui se montre tendre. Montpensier les surprend et un duel s'engage. Anjou les arrête. Entretien sur l'astrologie avec la reine. Elle lui apprend que Guise doit épouser Marguerite, sœur du roi. Guise et Marie se cachent pour s'embrasser. Guise dit qu'il n'a pas répondu à l'offre de mariage avec Marguerite. Heureuse, Marie se montre espiègle devant Chabannes, qui la met en garde et lui enjoint d'oublier Guise.	Scène de duel avec mouvements de *steadicam* et de travelling ou de plongée. Pendant la conversation entre Chabannes et Marie, la caméra se rapproche d'eux comme d'un couple d'amants en froid.	Toux de Charles IX, sans que la reine sa mère s'en préoccupe. Vents mélodieux, au rythme apaisé, pour souligner la satisfaction de Marie.
1h38-1h46	Scène du bal. Marie donne par erreur un rendez-vous à Anjou, masqué comme Guise. Menaces d'Anjou envers Guise, pendant que ses hommes retiennent Montpensier. Anjou annonce à Marie que Guise lui préfère sa sœur Marguerite. Jaloux et humilié, Montpensier tente de frapper sa femme, mais Chabannes le retient. Il lui commande de revenir à Montsurbrac.	Effets de plongée sur les hommes en train de se masquer, et effets de travelling. Marie paraît prise au piège, proie des hommes en chasse et objet d'une fatalité.	Musique de fête, d'inspiration renaissante. Percussions martelantes qui accompagnent l'action pour souligner qu'un piège est tendu.

Repères	Lieux et actions	Éléments visuels	Éléments sonores
1h46-1h55	Guise exige de Chabannes de pouvoir parler à Marie. Chabannes prévient Marie de la présence de Guise. Elle met un chandelier à sa fenêtre, signal convenu avec Guise. Guise tue le chien de garde et entre chez la princesse. Il annonce avoir renoncé à Marguerite. Montpensier est réveillé. Chabannes invite Guise à fuir : ce dernier se cache. Le prince surprend Marie avec le comte et le chasse. Guise et Marie font l'amour.	Prédilection pour les plans fixes, alors que l'action s'emballe sentimentalement. Zoom et gros plan sur le visage de Marie, lorsque Chabannes lui propose que Guise la rejoigne.	Cordes graves jouent *lento*, produisant un sentiment d'étirement du temps. Gémissements du chien mourant, coups frappés à la porte par le mari jaloux indiquant une dramatisation de cette péripétie finale.
1h55-2h05	Marie décide d'aller à Montsurbrac seule à cheval. Chabannes se réfugie dans une auberge de huguenots. Montpensier reste seul et désemparé. Marie arrive épuisée (psychologiquement ou physiquement ?) à Montsurbrac. Chabannes lui écrit une lettre la nuit de la Saint-Barthélemy. Les catholiques marquent d'une croix les lieux protestants et commencent le massacre. Chabannes chevauche dans Paris et sauve une femme enceinte. Il meurt lors du massacre.	Mouvements de travelling et de plongée qui structurent cette séquence (équivalent de la catastrophe tragique). Plongée sur Chabannes au moment de sa mort, qui humilie et rachète à la fois ce personnage. Plan d'ensemble montrant le prince chevauchant.	Multiplication d'éléments sonores : cuivres et percussions rapides et amples, puis vents et cordes, donnant un dernier souffle épique au film. Voix *off* de Chabannes noyée dans une musique sombre et mélancolique. Hennissements et cris de femmes. La musique va *crescendo*, mêlant cordes et percussions lors de la cavalcade.

	Au matin, le prince de Montpensier retrouve son cadavre et la lettre ; il rejoint le château au galop et épuise son cheval.	Travelling et plan américain qui se rapproche des époux : le destin de Marie semble fixé. Gros plan sur sa main fermant la porte : plus d'espoir de liberté pour la jeune femme.	Musique lancinante, traduisant deux sentiments : la douleur d'avoir perdu Chabannes et l'espoir de retrouver Guise.
2h05-2h10	Montpensier donne à Marie la lettre de Chabannes. Marie pleure la mort du comte. Le prince lui annonce le mariage de Guise avec Mme de Clèves : la princesse veut se rendre à Blois pour le mariage. Son époux pleure devant sa porte, dit lui avoir pardonné et l'invite à réfléchir à une rupture de leurs vœux.		
2h10-fin	À Blois, Guise et Marie se retrouvent : elle est prête à rompre son mariage, mais Guise refuse de manquer à son engagement envers Mme de Clèves. Chevauchée de Marie. Elle arrive à une chapelle, où elle rend hommage à Chabannes. Elle s'éloigne après un soupir, sans que l'on puisse interpréter clairement ses émotions.	Dernier gros plan montrant l'espoir de Marie. La caméra prend ensuite du large : les plans d'ensemble soulignent la résignation de la jeune femme. Dernier plan rapproché de son visage.	Voix *off* de Chabannes qui met en garde Marie contre Guise. Un ensemble de cordes, percussions et vents dramatisent la séquence. Chants sacrés et voix *off* de Marie.

J.-D. M.

CHRONOLOGIE

	CONTEXTE HISTORIQUE ET CULTUREL	VIE ET ŒUVRE DE MME DE LAFAYETTE
1633		Mariage à Saint-Sulpice de Marc Pioche de La Vergne (gouverneur du marquis de Brézé, le neveu de Richelieu) et d'Isabelle Péna.
1634		18 mars : Baptême à Saint-Sulpice de Marie-Madeleine Pioche de La Vergne.
1635	Création de l'Académie française. Déclaration de guerre à l'Espagne.	
1636-1649		Marc Pioche accompagne le marquis de Brézé dans plusieurs campagnes. Lui et sa femme achètent des terrains en face du Luxembourg et font construire plusieurs immeubles. Leur fille résidera dans l'un d'entre eux, rue Férou (ancienne rue Saint-Sulpice) jusqu'à sa mort.
1638	Naissance de Louis XIV.	
1641	Georges et Madeleine de Scudéry, *Ibrahim ou l'illustre Bassa*.	
1642	Mort de Richelieu.	
1643	Mort de Louis XIII. Régence d'Anne d'Autriche. Mazarin succède à Richelieu.	
1646	La Calprenède, *Cléopâtre* (1646-1658)	
1648	Début de la Fronde.	
1649	Descartes, *Les Passions de l'âme*. Madeleine de Scudéry, *Artamène ou le Grand Cyrus* (1649-1653).	Mort de Marc Pioche.

CHRONOLOGIE

1650	Isabelle Péna épouse en secondes noces Renaud-René de Sévigné, oncle de la marquise.
1651	Scarron, *Le Roman comique* (1651-1657 et 1663).
1652	Renaud-René de Sévigné, qui a pris parti pour les Frondeurs, reçoit l'ordre de se retirer dans ses terres d'Anjou. Il aide le cardinal de Retz à s'évader en août 1654.
1654	Madeleine de Scudéry, *Clélie, histoire romaine* (1654-1660).
1655	Mariage de Marie-Madeleine Pioche de La Vergne avec François, comte de Lafayette, de haute noblesse d'Auvergne, est veuf et âgé de trente-huit ans. L'écrivain Ménage envoie à la comtesse les livres d'actualité, notamment les premiers volumes de *Clélie*.
1656	Jean Regnault de Segrais, *Les Nouvelles françaises ou les Divertissements de la princesse Aurélie.* Michel de Pure, *La Précieuse* (1656-1658).
	Mort d'Isabelle Péna. Mme de Lafayette, de retour à Paris, est reçue dans différents cercles intellectuels et mondains, notamment les salons de Mme de Rambouillet, de Mlle de Scudéry et de Mme du Plessis-Guénégaud. Elle rencontre dans ce dernier de nombreux proches de Port-Royal, dont La Rochefoucauld et plusieurs membres de la famille Arnauld. Elle lit *Les Provinciales* de Pascal. Elle rejoint son mari en Auvergne à l'automne.

C H R O N O L O G I E

	CONTEXTE HISTORIQUE ET CULTUREL	VIE ET ŒUVRE DE MME DE LAFAYETTE
1657		Le comte et la comtesse viennent habiter Paris. Mme de Lafayette occupe une remarquable position dans le monde.
1658		Naissance de Louis de Lafayette (abbé, il mourra en 1729). Le comte et la comtesse retournent en Auvergne.
1659	Traité des Pyrénées.	(début) Le comte et la comtesse reviennent à Paris. La comtesse fréquente deux hommes de lettres, Jean Regnault de Segrais et Pierre-Daniel Huet. Elle écrit pour le recueil *Divers portraits*, publié par Mlle de Montpensier, un portrait de Mme de Sévigné. Naissance de René-Armand de Lafayette (officier, il mourra à Landau en 1694).
1660	Mariage de Louis XIV et de Marie-Thérèse, fille de Philippe IV d'Espagne.	
1661	Mort de Mazarin. Début du pouvoir personnel de Louix XIV. Arrestation de Fouquet. Mariage de Monsieur, frère du roi, avec Henriette d'Angleterre. La Calprenède, *Faramond ou l'Histoire de France*. M. de Scudéry, *Célinte*.	Mme de Lafayette, qui est l'amie intime d'Henriette d'Angleterre, a ses entrées à la cour. Le comte rentre seul en Auvergne. Les époux ne se rencontreront plus que lors de rares et brefs séjours du comte à Paris. Mme de Lafayette tient salon et brille à la cour.

1662	Cyrano de Bergerac, *Les États et Empires du Soleil*.
1665	La Rochefoucauld, *Réflexions ou sentences et maximes morales*. Molière, *Dom Juan*. Bussy-Rabutin, *Histoire amoureuse des Gaules*. La Fontaine, *Contes et nouvelles en vers*.	20 août : Achevé d'imprimer de la première partie de *La Princesse de Montpensier*, dont le privilège est du 27 juillet.
1666	Mort d'Anne d'Autriche. Furetière, *Le Roman bourgeois*. La Fontaine, *Contes* (Partie I).	
1667	Mézeray, *Abrégé chronologique de l'Histoire de France*.	
1668	Traité d'Aix-la-Chapelle avec l'Espagne. La Fontaine, *Fables*.	
1669	La Fontaine, *Les Amours de Psyché*. Guilleragues, *Lettres portugaises*.	20 novembre : Achevé d'imprimé de la première partie de *Zayde*, dont le privilège est du 8 octobre. La romancière a consulté, au cours de la rédaction, Segrais, Huet et La Rochefoucauld. Le premier signe l'ouvrage ; le deuxième le fait précéder d'une *Lettre de l'origine des romans*.
1670-1671	Édition de Port-Royal des *Pensées* de Pascal (mort en 1662).	

CHRONOLOGIE

	CONTEXTE HISTORIQUE ET CULTUREL	VIE ET ŒUVRE DE MME DE LAFAYETTE
1671	Mort d'Henriette d'Angleterre. Mme de Villedieu, *Les Annales galantes*. Saint-Réal, *De l'usage de l'histoire*.	
1672	Saint-Réal, *Dom Carlos, nouvelle historique*. Fondation du *Mercure galant* par Donneau de Visé. Première installation de Louis XIV à Versailles. Guerre contre la Hollande et le Saint Empire romain germanique (1672-1678).	2 janvier : Achevé d'imprimer de la deuxième partie de *Zayde*.
1673	Molière, *Le Malade imaginaire*.	
1674	Mme de Villedieu, *Les Désordres de l'amour*.	
1675	Boisguilbert, *Marie Stuart, nouvelle historique*. Boursault, *Le Prince de Condé, nouvelle historique*. « Chambre du sublime » offerte au duc de Maine (second fils de Louis XIV et de Mme de Montespan), où figurent les miniatures de Boileau, Bossuet, La Fontaine, Racine, La Rochefoucauld et Mme de Lafayette.	
1677	Racine, *Phèdre*. Rapin, *Pour l'instruction de l'histoire*.	

1678	Paix de Nimègue avec la Hollande et l'Espagne. Valincour, *Lettre à Mme la Marquise *** sur le sujet de La Princesse de Clèves*.	8 mars : Achevé d'imprimer de *La Princesse de Clèves*, dont le privilège est du 16 janvier.
1679	Charnes, *Conversations sur la critique de La Princesse de Clèves*.	
1680	Fondation de la Comédie-Française. 16 mars : mort de La Rochefoucauld.	
1682	Installation permanente de la cour à Versailles. Du Plaisir, *La Duchesse d'Estramène*.	
1683	Mort de la reine et de Colbert. Mariage secret de Louis XIV et de Mme de Maintenon. Du Plaisir, *Sentiments sur les lettres et sur l'histoire avec des scrupules sur le style*.	26 juin : Mort du comte de Lafayette.
1684	Trêve de Ratisbonne avec l'Espagne et l'Empire.	
1685	Révocation de l'édit de Nantes. Varillas, *Anecdotes de Florence ou l'Histoire secrète de la maison des Médicis*. Mme de Pringy, *Les Différents Caractères de l'amour*.	
1686	Formation de la Ligue d'Augsbourg.	Correspondance de Mme de Lafayette avec l'abbé de Rancé, le réformateur de la Trappe, qui l'invite à se convertir.

CHRONOLOGIE

	CONTEXTE HISTORIQUE ET CULTUREL	VIE ET ŒUVRE DE MME DE LAFAYETTE
1687	Bouhours, *La Manière de bien penser dans les ouvrages de l'esprit*. C. Bernard, *Les Malheurs de l'amour*.	
1688	Révolution d'Angleterre. La Bruyère, *Les Caractères* (1688-1696). Perrault, *Parallèle des Anciens et des Modernes* (1688-1697).	
1689	Campagne du Palatinat.	
1690	Furetière, *Dictionnaire universel*.	Mme de Lafayette se place sous la direction de Duguet, prêtre de l'Oratoire, très lié avec Port-Royal.
1693		25 mai : Mort de Mme de Lafayette, assistée par la nièce de Pascal, Marguerite Périer.
1694	*Dictionnaire de l'Académie*.	
1695	Mort de La Fontaine et de Nicole. P. Bayle, *Dictionnaire historique et critique* (1695-1697).	
1697	Paix de Ryswick (restitution des conquêtes faites depuis 1678).	
1699	Mort de Racine. Fénelon, *Les Aventures de Télémaque*.	
1701	Guerre de succession d'Espagne.	

BIBLIOGRAPHIE

ÉDITIONS

ÉDITION ORIGINALE

La Princesse de Montpensier, Paris, T. Jolly, L. Billaine et Ch. de Sercy, 1662.

Le privilège fut accordé pour sept ans à Augustin Courbé le 27 juillet 1662 et cédé par lui à Thomas Jolly et Louis Billaine, lesquels se sont associés à Charles de Sercy. On trouve des exemplaires sous les marques de Charles de Sercy, de Louis Billaine et de Thomas Jolly.

Sept nouvelles éditions furent imprimées du vivant de l'auteur : 1671, 1674, 1675, 1678, 1679, 1681 et 1684. Le texte de 1662 y est repris sans aucune modification.

ÉDITIONS MODERNES

La Princesse de Montpensier, éd. A. Beaunier, La Connaissance, « Les Textes », 1926.

Romans et nouvelles, éd. A. Niderst, Classiques Garnier, 1990 [1970].

Histoire de La Princesse de Montpensier. Histoire de La Comtesse de Tende, éd. M. Cuénin, Genève, Droz, 1979.

Œuvres complètes, éd. R. Duchêne, Éditions François Bourin, 1990.

Histoire de La Princesse de Montpensier. Histoire de La Comtesse de Tende, éd. M. Cuénin, dans *Nouvelles du*

XVIIe siècle, dir. R. Picard et J. Lafond, Gallimard, « Bibliothèque de la Pléiade », 1997.

La Princesse de Montpensier, suivi de *La Comtesse de Tende,* éd. L. Plazenet, Le Livre de Poche, 2003.

Nouvelles galantes du XVIIe siècle, éd. M. Escola, GF-Flammarion, 2004.

Œuvres complètes, éd. C. Esmein-Sarrazin, Gallimard, « Bibliothèque de la Pléiade », 2014.

Ouvrages historiques

Nous rassemblons dans cette section les sources de Mme de Lafayette (ouvrages qu'elle a manifestement ou vraisemblablement consultés) et des documents importants sur la période qui sert de cadre à *La Princesse de Montpensier.*

Anselme de Sainte-Marie, Augustin, *Histoire généalogique et chronologique de la Maison royale de France* [1re éd., Paris, Loyson, 1674], Paris, Compagnie des libraires, 1712, 2 vol.

Coustureau, Nicolas, *Vie de Louis de Bourbon, surnommé le Bon, premier duc de Montpensier,* Rouen, Jacques Cailloué, 1642 ; rééd. sous le titre *Histoire de la vie et faits de Louis de Bourbon,* Paris, 1645.

Davila, Enrico, *Histoire des guerres civiles de France. Contenant tout ce qui s'est passé de mémorable sous le Règne de quatre Rois, François II, Charles IX, Henri III et Henri IV surnommé le Grand. Jusques à la Paix de Vervins, inclusivement. Écrite en italien par H. C. Davila. Et mise en français par J. Baudoin,* Paris, P. Rocolet, 1644, 2 vol.

Mézeray, François de, *Histoire de France, tome second. Où sont contenus les règnes de Charles VII, Louis XI, Charles VIII, Louis XII, François Ier, Henri II, François II et Charles IX,* Paris, M. et P. Guillemot, 1646.

MONTPENSIER, Mlle de, *Mémoires* (1728), éd. Ch. Bouyer, Fontaine, 1985.

ARTICLES ET OUVRAGES CRITIQUES

SUR LE ROMAN ET LA NOUVELLE AU XVIIᵉ siècle

COULET, Henri, *Le Roman jusqu'à la Révolution*, Armand Colin, 1967-1968, 2 vol. Cette histoire du roman couvre tout l'ancien régime et fournit des analyses précises sur les grands romanciers et leurs principales œuvres.

DEJEAN, Joan, *Tender Geographies : Women and the Origins of the Novel in France*, New York, Columbia University Press, 1991. Essai sur le rôle joué par les femmes dans la définition du roman et les directions prises par les romanciers sous l'ancien régime.

ESMEIN-SARRAZIN, Camille, *L'Essor du roman. Discours théorique et constitution d'un genre littéraire au XVIIᵉ siècle*, Honoré Champion, 2008. Étude sur les textes théoriques à propos du roman et sur la manière dont romanciers et théoriciens élaborent un véritable genre littéraire au cours du XVIIᵉ siècle.

GRANDE, Nathalie, *Stratégies de romancières. De Clélie à La Princesse de Clèves (1654-1678)*, Honoré Champion, 1999. Étude sur les grandes romancières du XVIIᵉ siècle et sur la façon dont elles font évoluer le champ littéraire.

–, *Le Roman au XVIIᵉ siècle. L'exploration du genre*, Bréal, 2002. Ouvrage très accessible et assez complet sur l'histoire du genre, son évolution au cours du siècle, la définition dont il fait l'objet, les critiques qu'il rencontre chez les contemporains.

PAVEL, Thomas, *La Pensée du roman*, Gallimard, 2003. Ouvrage plus complexe, très stimulant, proposant une lecture d'ensemble de la conception du roman au cours des siècles et des pistes pour aborder les différentes périodes.

SGARD, Jean, *Le Roman français à l'âge classique (1600-1800)*, LGF, « Le Livre de Poche », 2000. Ouvrage très accessible proposant un rapide parcours de l'histoire des formes et des auteurs.

ZONZA, Christian, *La Nouvelle historique en France à l'âge classique (1657-1703)*, Honoré Champion, 2007. Ouvrage érudit et très précis sur la définition de la nouvelle, l'usage de l'histoire et les grandes figures historiques présentes dans ce corpus. Le rôle joué par Mme de Lafayette y est amplement étudié.

SUR MME DE LAFAYETTE

BEASLEY, Faith E., *Revising Memory : Women's Fiction and Memoirs in Seventeenth-Century France*, New Brunswick (N. J.), Rutgers University Press, 1990.

CUÉNIN, Micheline, « La mort dans l'œuvre de Mme de Lafayette », *Papers on French Seventeenth Century Literature*, n° 10, 1978-1979, p. 89-119.

DEJEAN, Joan, « De Scudéry à Lafayette : la pratique et la politique de la collaboration littéraire dans la France du dix-septième siècle », *XVIIe siècle*, n° 181, 1993, p. 673-685.

DUCHÊNE, Roger, *Mme de La Fayette. La romancière aux cent bras*, Fayard, 1988 ; rééd. sous le titre *Mme de La Fayette*, Fayard, 2000.

ESMEIN-SARRAZIN, Camille, « Fact and Fiction in the Works of Madame de Lafayette : A Poetics of Secrets and Gossip », dans *Seventeenth-Century Fiction. Text and Transmission*, dir. J. Glomski et I. Moreau, Oxford, Oxford University Press, 2016, p. 81-96.

FABRE, Jean, « Bienséance et sentiment chez Mme de Lafayette », *Cahiers de l'Association internationale des études françaises*, n° 2, 1959, p. 33-66.

FRANCILLON, Roger, *L'Œuvre romanesque de Mme de Lafayette*, José Corti, 1973.

–, « Madame de Lafayette : au carrefour des esthétiques du roman », *Perspectives de la recherche sur le genre narratif français du XVIIe siècle*, Pise/Genève, Edizioni Ets/Slatkine, 2000, p. 269-280.

GEVREY, Françoise, *L'Esthétique de Mme de Lafayette*, Sedes, 1997.

GIORGI, Giorgetto, « Forme narrative longue, forme narrative brève : le cas de Mme de Lafayette », *Littératures classiques*, n° 49, 2003, p. 371-383.

HEPP, Noémi, « Romancière ou dame d'honneur ? Mme de Lafayette devant ses héroïnes », *XVIIe siècle*, n° 181, 1993, p. 621-628.

HIPP, Marie-Thérèse, *Mythes et réalités. Enquête sur le roman et les mémoires (1660-1700)*, Klincksieck, 1976.

LAUGAA, Maurice, *Lectures de Mme de Lafayette*, Armand Colin, 1971.

–, « Mme de Lafayette ou l'intelligence du cœur », *Romanciers du XVIIe siècle*, *Littératures classiques*, n° 11, octobre 1991, p. 195-226.

PAIGE, Nicholas, « The Impossible Princess (Lafayette) », *Before Fiction. The Ancien Régime of the Novel*, Philadelphie, University of Pennsylvania Press, 2011, p. 35-61.

ROHOU, Jean, et SIOUFFI, Gilles, *Lectures de Mme de Lafayette*, Rennes, Presses universitaires de Rennes, 2015.

SELLIER, Philippe, *Port-Royal et la littérature*, II. *Le siècle de saint Augustin, La Rochefoucauld, Madame de Lafayette, Sacy, Racine*, Honoré Champion, 2000.

–, « *Se tirer du commun des femmes : la Constellation précieuse* », *Essais sur l'imaginaire classique. Pascal –*

Racine – Précieuses et moralistes – Fénelon, Honoré Champion, 2003, p. 197-213.

SUR *LA PRINCESSE DE MONTPENSIER*

BERTAUD, Madeleine, « Nouvelle et petit roman : *La Princesse de Montpensier* et *La Princesse de Clèves* », *La Nouvelle de langue française aux frontières des autres genres, du Moyen-Âge à nos jours*, t. I, actes du colloque de Metz (juin 1996), dir. V. Engel et M. Guissard, Ottignies, Quorum, 1997, p. 138-148.

CUÉNIN, Micheline, et MORLET, Chantal, « Châteaux et romans au XVIIᵉ siècle », *XVIIᵉ siècle*, nº 118-119, 1978, p. 100-123.

ESMEIN-SARRAZIN, Camille, « Ménage lecteur et correcteur de *La Princesse de Montpensier* de Mme de Lafayette », dans « Gilles Ménage : un homme de langue dans la République des lettres », dir. I. Trivisani-Moreau, *Littératures classiques*, nº 88, 2015, p. 77-89.

–, « Écriture du secret et poétique de l'histoire secrète dans *La Princesse de Montpensier* et *La Comtesse de Tende* de Mme de Lafayette », in *Le Secret : un enjeu poétique, rhétorique et moral (XVIIᵉ-XVIIIᵉ siècles)*, dir. F. Gevrey, A. Lévrier et B. Teyssandier, Louvain, Peeters, 2015, p. 289-300.

GEVREY, Françoise, « L'aventure dans *La Princesse de Montpensier* et dans *La Princesse de Clèves* », *Littératures*, nº 21, 1989, p. 39-51.

GOLDSMITH, Elizabeth C., « Les lieux de l'histoire dans *La Princesse de Montpensier* », *XVIIᵉ siècle*, nº 181, 1993, p. 705-715.

Mme de Lafayette, « La Princesse de Montpensier », « La Princesse de Clèves », *Littératures classiques*, supplément 1990.

MAYER, Denise, « Mademoiselle de Montpensier et l'architecture », *XVIIe siècle*, n° 118-119, 1978, p. 60-61.

PÉPIN, Eugène, *Champigny-sur-Veude et Richelieu*, Henri Laurens, 1928.

SUR LE FILM DE BERTRAND TAVERNIER

NUTTENS, Jean-Dominique, *Bertrand Tavernier (Film après film, le parcours d'un cinéaste humaniste et en prise avec son temps)*, Rome, Gremese, 2009.

RASPIENGEAS, Jean-Claude, *Bertrand Tavernier*, Flammarion, 2001.

TAVERNIER, Bertrand, avant-propos de *La Princesse de Montpensier*, Flammarion, 2010.

–, *Le Cinéma dans le sang (entretiens avec Noël Simsolo)*, Écriture, « Entretiens », 2011.

MORICE, Jacques, une critique du film consultable en ligne à l'adresse : http://www.telerama.fr/cinema/films/la-princesse-de-montpensier,410517.php

« Bertrand Tavernier raconte le tournage de *La Princesse de Montpensier* », consultable en ligne à l'adresse : http://www.lexpress.fr/culture/cinema/bertrand-tavernier-raconte-le-tournage-de-la-princesse-de-montpensier_892297.html

TABLE

Histoire de la princesse de Montpensier

Cet ouvrage a été mis en pages par

Imprimé en France par Maury Imprimeur en juin 2019
N° d'édition : L.01EHPN000838.A007
Dépôt légal : mai 2017
N° d'impression : 237839